PERSPEKTIVEN GERMANISTISCHER LING

Herausgegeben von Heiko Girnth und Sascha Michel

ISSN 1863-1428

1   Karin Schlipphak
Erwerbsprinzipien der deutschen Nominalphrase
Erwerbsreihenfolge und Schemata – die Interaktion sprachlicher Aufgabenbereiche
ISBN 978-3-89821-911-2

Karin Schlipphak

ERWERBSPRINZIPIEN
DER DEUTSCHEN NOMINALPHRASE

Erwerbsreihenfolge und Schemata
– die Interaktion sprachlicher Aufgabenbereiche

ibidem-Verlag
Stuttgart

Bibliografische Information der Deutschen Nationalbibliothek
Die Deutsche Nationalbibliothek verzeichnet diese Publikation in der
Deutschen Nationalbibliografie; detaillierte bibliografische Daten sind im
Internet über http://dnb.d-nb.de abrufbar.

Bibliographic information published by the Deutsche Nationalbibliothek
Die Deutsche Nationalbibliothek lists this publication in the Deutsche Nationalbibliografie;
detailed bibliographic data are available in the Internet at http://dnb.d-nb.de.

∞

Gedruckt auf alterungsbeständigem, säurefreien Papier
Printed on acid-free paper

ISSN: 1863-1428

ISBN-10: 3-89821-911-9
ISBN-13: 978-3-89821-911-2

© *ibidem*-Verlag
Stuttgart 2008

Alle Rechte vorbehalten

Printed in Germany

Vorwort der Herausgeber

Der vorliegende Band begründet die Reihe „Perspektiven germanistischer Linguistik" (PGL). PGL versteht sich als Forum für Arbeiten, die aktuelle und zukunftsweisende Themen der germanistischen Linguistik behandeln. Durch die Verschränkung der Dokumentation und Analyse synchroner Sprachdaten mit aktuellen und innovativen theoretischen Erkenntnissen eröffnen sich für die einzelnen linguistischen Teilgebiete neue Perspektiven. PGL schärft das Profil der germanistischen Linguistik und bietet ein Forum für richtungsweisende Potenziale und Strömungen.

Das Spektrum der Reihe umfasst Bände aus allen Bereichen der germanistischen Linguistik. PGL ist offen sowohl für die klassischen Teildisziplinen als auch für die neueren Strömungen (wie Grammatikalisierung, neue Medien, kognitive Linguistik, Politolinguistik, Gesprächsforschung, Korpuslinguistik). Auch für Studien, die eine kontrastive bzw. interdisziplinäre Perspektive einnehmen, bietet PGL eine attraktive Plattform.

Aufgrund der Vielfalt der Publikationsformen werden Monographien ebenso erscheinen wie Sammel- und Tagungsbände.

Wir laden alle Interessierten herzlich dazu ein, ihr Manuskript zur Prüfung an die Herausgeber (girnth@staff.uni-marburg.de / sa.michel@gmx.de) zu senden!

Marburg, Oktober 2008

Die Herausgeber:
Heiko Girnth
Sascha Michel

1.   Einleitung und Arbeitshypothesen 11
2.   Nominalphrase (NP) und Erstspracherwerb im Allgemeinen 17
2.1   Definition der NP und Eingrenzung 17
2.2   Überblick über den Forschungsstand Spracherwerb 18
2.3   Spracherwerbstheorien: Generative Grammatik vs. Netzwerktheorie 20
2.4   NP-Erwerbsreihenfolge: NP-Erwerb nach Bittner 26
2.5   Erwerb von NP-Schemata: Definition, Terminologie 28
3.   Empirische Untersuchung 33
3.1   Datenquellen: CHILDES-Datenbank und Tagebuchstudie von Elsen
      (1991) 33
3.2   Angewendete Methode: Analyseregeln 37
4.   Diskussion von Analysebeispielen 45
4.1   Erwerbsreihenfolge der NP 45
4.2   *Complexity/Fluency Trade Off* und NP-Schemata 60
4.2.1   ANN 60
4.2.2   FAL 76
4.2.3   AL 89
5.   Ergebnisse 93
5.1   Erwerbsreihenfolge der NP 93
5.1.1   Gemeinsamkeiten der Entwicklung 93
5.1.2   Unterschiede zwischen den Kindern 96
5.2   *Complexity/Fluency Trade Off* und NP-Schemata 99
6.   Netzwerktheoretische Erklärungen und Einordnung 107
6.1   Erwerbsreihenfolge der NP 107
6.1.1   Gemeinsamkeiten 107
6.1.1.1   Die Funktion des neuronalen Netzwerks und der NP-Erwerb im
          Allgemeinen 107
6.1.1.2   Das gemeinsame Erwerbsgerüst 109
6.1.1.3   Reduzierte NP-Konstituenten 112
6.1.1.4   Genus- und Kasusfehler 113
6.1.2   Unterschiede und (interdisziplinäre) Erklärungsversuche 117
6.1.2.1   Beginn des (NP-)Erwerbs, einzelne Unterschiede im Erwerb und
          Aggressivität der Sprache 117
6.1.2.2   *Nature-Nurture*-Kontroverse 119
6.1.2.3   Individuelle Lerntypen 120
6.1.2.4   Exkurs: Die zwanghafte Dichotomie von Geschlecht 123
6.2   *Complexity/Fluency Trade Off* und NP-Schemata 125
6.2.1   *Complexity/Fluency Trade Off* und Schwerpunktverlagerungen . 125
6.2.2   NP-Schemata 129
6.2.3   *Lexical Bootstrapping Hypothesis* 142

7. **Zusammenfassung und Ausblick** **149**
7.1 Zusammenfassung 149
7.2 Nach welchen Prinzipien verläuft der NP-Erwerb? Die Mechanismen im
Zusammenhang 151
7.3 Ausblick 154
Literatur **157**
Korpusliteratur 157
Sekundärliteratur 157
Anhang **161**
Übersicht über komplexe NP-Formen bei ANN und FAL 161

Verzeichnis der Tabellen, Diagramme und Abbildungen

Tabelle 1:   Überblick über alle analysierten NP-Formen   Seite 18

Tabelle 2:   Schemata, die in den Daten der untersuchten
                  Kinder gefunden wurden   Seite 29

Tabelle 3:   Anzahl der verschiedenen NP-Bildungen in den
                  einzelnen Protokollen von ANN   Seite 42

Tabelle 4:   Anzahl der verschiedenen NP-Bildungen in den
                  einzelnen Protokollen von FAL   Seite 43

Tabelle 5:   Separater Gebrauch von NP-Konstituenten und
                  Verwendung in ersten NPs   Seite 49

Tabelle 6:   Anzahl der reduzierten Artikel   Seite 50

Tabelle 7:   Genus- und Kasusfehler bei ANN zwischen 2;7
                  und 3;1   Seite 52

Tabelle 8:   Genus- und Kasusfehler bei FAL zwischen 2;8
                  und 3;1   Seite 52

Tabelle 9:   Verschiedene Fehlerarten mit Beispielen   Seite 53

Tabelle 10:   NP-Erwerbsreihenfolge bei ANN   Seite 95

Tabelle 11:   NP-Erwerbsreihenfolge bei FAL   Seite 95

Tabelle 12:   Ungefähre Abfolge der aktiven sprachlichen
                  Aufgabenbereiche zwischen 1;4 und 3;1
                  bei ANN   Seite 100

Tabelle 13:   Ungefähre Abfolge der aktiven sprachlichen
                  Aufgabenbereiche zwischen 1;4 und 3;1
                  bei FAL   Seite 100

Tabelle 14:   Gemeinsamer Kern der Abfolge aktiver
                  sprachlicher Aufgabenbereiche zwischen 1;4
                  und 3;1 bei ANN und FAL; Gegensatztrio   Seite 101

Tabelle 15:   Schema-Typen mit Beispielen bei ANN   Seite 103

Tabelle 16:   Schema-Typen mit Beispielen bei FAL   Seite 104

Tabelle 17:   Schema-Typen mit Beispielen bei AL   Seite 104

Tabelle 18:   Übersicht über komplexe NP-Formen bei ANN   Seite 161

Tabelle 19:   Übersicht über komplexe NP-Formen bei FAL   Seite 161

Diagramm 1:   Anzahl der verschiedenen NP-Formen bei ANN
                und FAL im Alter von 1;10   Seite 55
Diagramm 2:   Anzahl der verschiedenen NP-Formen bei ANN
                und FAL im Alter von 2;0   Seite 56
Diagramm 3:   Anzahl der verschiedenen NP-Formen bei ANN
                und FAL im Alter von 3;1   Seite 57
Abbildung 1:   Das netzwerkartige Zusammenspiel sprachlicher
                Aufgabenbereiche aus Elsen (1999: 186)   Seite 25

1. Einleitung und Arbeitshypothesen

„Kleines Hirn, große Klappe: Vom Gebrabbel zum Genitiv. Sprechen lernen" (ZEIT Wissen 01/2006). Das ZEIT-Magazin dieses Titels verrät, wie faszinierend und aktuell das Forschungsfeld Spracherwerb nach wie vor ist. Erst seit Anfang des 20. Jahrhunderts beschäftigen sich LinguistInnen mit dem Erwerb von Sprache. Der Forschungszweig war in den Jahrhunderten zuvor eine Disziplin der MedizinerInnen, PsychologInnen, PhilosophInnen und PädagogInnen gewesen. Besonders für den deutschsprachigen Raum gab und gibt es noch immer wenig verfügbare Daten und innovative Ansätze in der Spracherwerbsforschung. Deshalb scheint es außerordentlich wichtig, den Erwerb der deutschen Sprache nicht aus den Augen zu verlieren, sondern weiter zu erforschen. Insbesondere die Syntax ist ein Bereich der deutschen Sprache, der bezüglich seines Erwerbs noch nicht allzu lange im Interesse der Forschung steht. In der vorliegenden Arbeit soll ein Teil der deutschen Syntax in seinem kindlichen Entstehen beleuchtet werden: die Nominalphrase (NP). Wie erwirbt ein Kind die NP[1] – gibt es eine chronologische Erwerbsreihenfolge der NP-Formen, die sich bei allen untersuchten Kindern gleicht, oder finden sich erwähnenswerte Unterschiede? Die Klärung dieser Fragen bildet einen ersten Schwerpunkt der folgenden Untersuchung; die Erkenntnisse der Arbeit sollen dabei in eine Theorierichtung eingeordnet werden, die diese plausibel zu erklären in der Lage ist.

Der Erwerb der deutschen NP soll anhand der Analyse von Sprachdaten dreier Kinder untersucht werden. Das Hauptaugenmerk liegt dabei auf FAL und ANN, einem Jungen und einem Mädchen, deren Sprachdaten dem CHILDES-Korpus[2] entnommen werden konnten.[3] Das Korpus ergänzend, stand Datenmaterial zu der Entwicklung eines weiteren Mädchens, AL aus der Tagebuchstudie von Elsen (vgl. Elsen 1991, 1999), zur Verfügung. In der vorliegenden Untersuchung soll durch das vorhandene Datenmaterial die chronologische Erwerbsreihenfolge bestimmter, vorher festgelegter NP-Formen dargestellt werden. Die in-

---

[1] Vgl. Kapitel 2.1 dieser Arbeit zur Definition der NP.
[2] Vgl. dazu Teil 3.1 vorliegender Untersuchung.
[3] Die CHILDES-Daten wurden mit freundlicher Genehmigung von Gisela Szagun zur Verfügung gestellt.

tensive Analyse wird diesbezügliche Unterschiede und Gemeinsamkeiten zwischen den Kindern aufzeigen sowie theoretisch erklären und einordnen.

Auch der zweite Schwerpunkt der Untersuchung soll an dieser Stelle kurz vorgestellt werden. Während der Datenanalyse wurden Schwerpunktverlagerungen sprachlicher Aufgabenbereiche oder vielmehr die Phänomene Interaktion bzw. *Complexity/Fluency Trade Off*[4], Variation und Transition im Spracherwerbsprozess sichtbar. In diesem Zusammenhang gilt es, ein Phänomen im Besonderen zu hinterfragen: auffällige, bestimmte fixe Formen, die unmittelbar mit dem Erwerb der NP in Verbindung zu stehen scheinen.[5] Es soll dabei geklärt werden, ob ein Zusammenhang zwischen den besonderen Formen und dem NP-Erwerb besteht und diese Bildungen den Erwerb von NPs sogar unterstützen. Können sie die Funktionsweise und Prinzipien des NP-Erwerbs offenlegen? Und wenn dem so ist, welche Theorierichtung ist in der Lage, die Formen und ihre Funktion in einen Gesamtzusammenhang zu stellen?

Ausgangspunkt und Arbeitshypothesen der vorliegenden Studie sind einerseits Annahmen, die aus den Untersuchungen Bittners (1998; 1999) bezüglich einer bestimmten NP-Erwerbsreihenfolge hervorgehen. Bittner geht von einem bestimmten Ablauf des NP-Erwerbs aus. Dabei werden, so Bittners Ergebnisse, erst separate Nomina erworben, dann verwenden die Kinder den vorangestellten unbestimmten Artikel und nach und nach andere Konstituenten vor dem Nomen, bis schließlich der bestimmte Artikel sowie *zwei/drei* plus Nomen auftauchen. Bittner geht davon aus, dass danach auch dreigliedrige NPs gebildet werden.

In Zusammenhang mit dem zweiten Schwerpunkt der Studie wurde andererseits im Allgemeinen von einer Interaktionsthese ausgegangen, wie sie bei Elsen (1999) beschrieben wird. Dabei handelt es sich um eine Interaktion sprachlicher Aufgabenbereiche. Zur Realisierung einer sprachlichen Äußerung sind Informationen aus verschiedenen linguistischen Domänen nötig. Fehlt Information aus

---

[4] Unter dem Begriff des *Complexity/Flueny Trade Off* (vgl. Elsen 1999: 17) wird in dieser Studie verstanden, dass bei der Realisierung etwa einer NP im kindlichen neuronalen System immer wieder neu ausgehandelt zu werden scheint, welche linguistischen Domänen eher zielsprachlich realisiert werden und welche dafür für den Moment eher im Hintergrund der Entwicklung stehen und somit in der NP nur unzureichend umgesetzt sind. Es handelt sich dabei also um ein Zusammenspiel oder einen Wettstreit, wie er im Rahmen des netzwerktheoretischen Ansatzes in Punkt 2.3 näher erläutert werden wird.

[5] Vgl. dazu Kapitel 2.5; etwa *da Ball* (ANN 1;6) oder *mehr Paket* [meːɐˈkeːtʰ] (ANN 1;8).

einem gerade nicht verfügbaren Bereich, so springt ein anderer ein und füllt die Lücken mit zur Verfügung stehendem Wissen auf. Beispielsweise kann fehlendes Know-how aus dem Bereich der Artikulation mit Angaben aus den Bereichen NP-Struktur, Prosodie und/oder Silbenanzahl gefüllt werden. So könnte eine kontinuierliche Schwerpunktverlagerung sprachlicher Aufgabenbereiche während des Erwerbs (der NP) nachweisbar sein. Außerdem werden im Folgenden, bezogen auf Funktion und Entwicklung der beobachteten starren Formen, einige Annahmen formuliert, die im Laufe der Analyse bestätigt oder aber modifiziert werden sollen. Die grundlegende Hypothese dieser Untersuchung ist, dass jene anfangs fixen Formen das Ergebnis des Wettstreits oder Zusammenspiels sprachlicher Aufgabenbereiche darstellen. So dürften die festen Formen[6] bzw. ihre Funktion, Entstehung und Entwicklung auf kognitive sprachliche Verarbeitungsprozesse schließen lassen. Es wird dabei angenommen, dass das Kind Formeln aus dem täglichen sprachlichen Input zieht.[7] Erst durch häufiges Hören und Benutzen und mittels einer Analyse der festen Formen[8] dürften diese ihren anfänglich starren Charakter verlieren, in ihrer Bedeutung und ihren syntaktischen Eigenschaften transparent werden und variablere Verwendung in verschiedenen kindlichen Äußerungen finden (vgl. Elsen 1999 sowie Dabrowska 2000). Dieser Vermutung liegt eine weitere Hypothese – die Ebene der neuronalen Verarbeitung betreffend – zugrunde: Eine Eigenschaft der Formeln bzw. Schemata könnte es sein, dass diese als *Prefabricated Units* zur besseren und schnelleren Sprachverarbeitung bei noch eingeschränkter Verarbeitungskapazität beitragen, da ihre neuronale Realisierung relativ wenig Prozessenergie beansprucht (vgl. Dabrowska 2004). In diesem Zusammenhang könnte auch von einem bestimmten Entwicklungsablauf bzw. einem kindlichen kognitiven Analyseprozess der Formeln ausgegangen werden. Diese Untersuchung soll nun prüfen, ob und wie vormals feste, starre, aus dem Input übernommene Bildungen, hier Formeln genannt, analysiert und generalisiert werden und mit fortschreitender Entwicklung als variablere Vorlagen, hier als Schemata bezeichnet, Verwendung finden.

---

[6] Oder Formeln und Schemata, wie sie in Kapitel 2.5 terminologisch fixiert werden.

[7] Diese These kann allerdings aus methodischen Gründen in dieser Studie nicht überprüft werden. Vgl. aber die Untersuchung von Cameron-Faulkner/Lieven/Tomasello (2003).

[8] Vgl. Kapitel 2.5 der Arbeit.

Den Schema-Gedanken weiterführend, soll in dieser Untersuchung davon ausgegangen werden, dass es eine enge Beziehung zwischen lexikalischer und syntaktischer Entwicklung gibt (vgl. u.a. Tomasello 2003, Dabrowska 2004 und Bartsch in Vorbereitung). Es kann vermutet werden, dass die lexikalische der syntaktischen Entwicklung nicht nur vorausgeht, sondern quasi eine Voraussetzung für letztgenannte ist.[9] Damit soll die Darstellung der Arbeitshypothesen abgeschlossen werden, die es während der Analyse der Daten zu überprüfen und gegebenenfalls zu modifizieren gilt.

Um die genannten Vermutungen verständlich zu machen, durch die gewonnenen Ergebnisse zu bestätigen (oder zu widerlegen) und anschließend sinnvoll in einen Theorierahmen einzuordnen, wird in dieser Untersuchung wie folgt vorgegangen: Im zweiten Abschnitt der Arbeit soll anfangs der Untersuchungsgegenstand NP definiert und anschließend gemäß den Zwecken dieser Arbeit eingeschränkt und somit operationalisierbar gemacht werden. Da der Gegenstand der NP im Zusammenhang mit Spracherwerb untersucht werden soll, muss ein kurzer Überblick über die Entwicklung und den Stand der Spracherwerbsforschung gegeben werden, bevor zwei in ihrer Aussage recht unterschiedliche Theorien zum Spracherwerb vorgestellt werden können: der Ansatz der Generativen Grammatik und ein eher netzwerktheoretisch orientierter Ansatz. Dieser Grundlagenteil soll zudem einerseits die Arbeiten Bittners (1998; 1999) vorstellen, die die Hypothesenbildung in vorliegender Analyse zum ersten Untersuchungsschwerpunkt stark beeinflusst haben. Andererseits soll ein Abschnitt erste Einblicke in das Phänomen der NP-Schemata gewähren, vor allem basierend auf den Arbeiten Dabrowskas (2000; 2004; im Druck). Der darauffolgende Teil der Arbeit muss auf den methodischen Hintergrund dieser empirischen Untersuchung eingehen, bevor einige aussagekräftige Beispiele aus der Datenanalyse diskutiert werden können. Er soll dazu auf Herkunft und Hintergrund der verwendeten Daten und auf die Probleme aufmerksam machen, die sich aus den Besonderheiten der Erhebungsmethoden ergeben. An entsprechender Stelle soll auch kurz auf die daraus resultierende Repräsentativität der Daten eingegangen werden. Damit die Zahlen, die aus den beschriebenen Datenquellen gewonnen wurden, besser eingeordnet werden können und ihre Entstehung besser nach-

---

[9] Vgl. die *Lexical Bootstrapping Hypothesis* von Bartsch (in Vorbereitung).

vollzogen werden kann, muss in einem anschließenden Punkt die Analyse des empirischen Teils der Arbeit erläutert und auf von der Zählung ausgenommene Bereiche von NPs sowie auf Besonderheiten bei der Zuordnung zu den einzelnen NP-Rubriken verwiesen werden. Der Hauptteil der Arbeit ist dann in drei Blöcken organisiert. Zuerst soll es dabei um die Diskussion einiger Beispiele aus der Analyse gehen (vgl. Kapitel 4). In einem zweiten Punkt (vgl. Kapitel 5) werden die Ergebnisse der Analyse aufgeführt – und zwar wieder unterteilt nach den beiden Schwerpunkten der Untersuchung. Drittens (vgl. Kapitel 6) erscheint es sinnvoll, die Ergebnisse aus netzwerktheoretischer Sicht in einen Gesamtzusammenhang zu bringen, aber auch im Detail zu erläutern sowie bereits bestehende Untersuchungen und Studien zu den hier gewonnenen Einsichten vorzustellen.

2.   Nominalphrase (NP) und Erstspracherwerb im Allgemeinen

2.1   Definition der NP und Eingrenzung

Die vorliegende Analyse soll sich mit der Entwicklung der Nominalphrase (NP) im Erstspracherwerb des Deutschen beschäftigen. Dabei richtet sich die Definition des zugrunde gelegten Begriffs der NP nach Glück (2000) – allerdings mit spezifisch für diese Arbeit vorgenommenen Einschränkungen, auf die weiter unten in diesem Abschnitt eingegangen werden soll. Glück definiert die Nominalphrase als eine

> „im Rahmen der TG [Transformationsgrammatik, *Anmerkung der Verfasserin*] angenommene Phrase, als deren Kopf ein Nomen gilt, z.B. [NP schwarze [Milch] der Frühe]]. Im Rahmen der Barrieren-Theorie und der neueren X-Bar-Theorie wird angenommen, daß die N. lediglich aus einem Nomen und seinem syntakt. Komplement besteht und daß sie als solche selbst als Komplement der Kategorie DET auftreten und mit dieser eine Determinansphrase (DP) bilden kann. Dementsprechend besitzen Substantivgruppen eine generelle Struktur wie [DP [D die [NP schwarze Milch der Frühe]]]"(Glück 2000: 477).

Abweichend von vorangehender Definition, werden Pronomina und Eigennamen in meiner Arbeit nicht berücksichtigt, da dies den Rahmen der Untersuchung sprengen würde und sich nach Analyse der übrigen Bestandteile der NP ausreichend Ergebnisse zum Erwerb sichern lassen.

Der Gegenstand der Untersuchung gestaltet sich demnach wie folgt[10]: In Tabelle 1 finden sich alle NP-Formen, die in vorliegender Analyse berücksichtigt werden. Die männliche und neutrale Form, z.B. *dein*, steht zum besseren Überblick auch für das Femininum.

---

[10] Die Terminologie der Oberbegriffe wurde dabei der von Helbig/Buscha (2001) angeglichen.

Tabelle 1:	Überblick über alle analysierten NP-Formen
Eingliedrige NPs	
Separates Nomen	z.B. Auto
Zweigliedrige NPs	
1. Artikel + Nomen:	
1.1 Possessivartikel + Nomen	*mein; dein; sein; ihr; euer; unser* + Nomen
1.2 Bestimmter/	*der/ein* + Nomen
unbestimmter Artikel + Nomen	
2. Adjektivisches Pronomen + Nomen:	
Indefinitpronomen + Nomen	*kein; alle* + Nomen
3. Adjektiv + Nomen:	
3.1 Lexikalisches Adjektiv + Nomen	z.B. *kleiner* + Nomen
3.2 Zahladjektiv + Nomen	*anderer; mehr; viele* + Nomen
3.3 Kardinalia + Nomen	*zwei; drei* + Nomen
4. Partikel + Nomen:	
Steigerungspartikel + Nomen	*ganzer* + Nomen
5. Fügewort + Nomen:	
Präposition + Nomen	z.B. *nach Hause*
Drei- und mehrgliedrige NPs	
Alle oben genannten NP-Konstituenten, aber in veränderlicher Reihenfolge; auch PPs	

2.2 Überblick über den Forschungsstand Spracherwerb

Die Spracherwerbsforschung hat ihre Anfänge in der zweiten Hälfte des 19. Jahrhunderts. Die damalige Kindersprachforschung war eine Disziplin von MedizinerInnen, PsychologInnen und PädagogInnen. Erste Berichte auf diesem Gebiet resultieren aus unmenschlichen Isolationsexperimenten. Diese sollten die wahre Ursprache des Menschen finden. Als Fazit aus dieser Phase der Spracherwerbsforschung wurde die Kindersprache als „Schlüssel zum Verständnis des menschlichen Geistes" betrachtet (Klann-Delius 1999: 9). Die wissenschaftliche Analyse des Spracherwerbs begann in der Mitte des 19. Jahrhunderts in Gestalt der *Diary-Studies*. In den Zwanzigerjahren des 20. Jahrhunderts folgten erste groß angelegte quantitative Studien, die sich häufig auf den Lauterwerb konzentrierten. Noch immer war der Spracherwerb kein eigenständiger Forschungszweig. Das Hauptinteresse der Forschung auf diesem Gebiet galt nach wie vor der Sprachursprungsfrage.

Erste Höhepunkte der Spracherwerbsforschung stellten bereits die Arbeiten von William Preyer im Jahre 1882 und Clara und William Stern im Jahre 1907 (vgl. Stern/Stern 1928/1965) dar. Preyer, der Begründer der biografischen Methode, widmete sich ganz den inneren, geistigen Kräften im Spracherwerb, während beispielsweise Wilhelm Wundt die Rolle der äußeren, sozialen Kräfte im Spracherwerb untersuchen wollte. Stern und Stern stellten in dieser Kontroverse mit ihrer Konvergenztheorie eine Mittlerposition dar. Sie widmeten sich erstmalig dem Syntaxerwerb und schafften eine Periodenbegrenzung des Spracherwerbs, dabei wurde der Kindersprache zum ersten Mal Eigenständigkeit zuerkannt; der Begriff *Kinderdialekt* entstand.

In einer zweiten Entwicklungswelle der Spracherwerbsforschung Mitte der Zwanzigerjahre entstand das behavioristische Paradigma in Form von *Large Sample Studies*. In diesem Zusammenhang galt nur beobachtbares Verhalten als verlässlich. Skinner begründete 1957 die behavioristische Sprachlerntheorie, deren radikale Destruktion schon 1959 durch Chomsky (vgl. u.a. Chomsky 1970; 1986) erfolgte. Der Spracherwerb war zu dieser Zeit völlig auf den normalen Spracherwerbsverlauf gerichtet und wurde an normativen Entwicklungsprofilen gemessen. Ebenfalls zu dieser zweiten Entwicklungswelle der Forschung gehört die Kontroverse zwischen Piaget und Wygotski. Piaget ging im Jahre 1923 von einer konstruktivistischen Entwicklungstheorie aus, in deren Rahmen Spracherwerb als allgemeiner kognitiver Prozess zu sehen ist. Wygotski vermutete dagegen ein Wechselverhältnis von Sprechen und Denken.

Zu der dritten Entwicklungsphase der Kindersprachforschung zählen vor allem die nach 1957 einsetzenden Längsschnittstudien, die die Aneignung des sprachlichen Systems erfassen sollten. Erst zu diesem Zeitpunkt der Entwicklung beschäftigten sich vermehrt LinguistInnen mit Spracherwerb, und zwar besonders mit der Entwicklung der Grammatik. Jakobson untersuchte 1941 die kindliche Lautentwicklung und verwies zum ersten Mal in der Forschung auf den Systemgedanken, der Sprache als ein sich nach und nach ausbauendes System begreift. Die Kontroverse, die in den darauffolgenden Jahren entbrannte, sollte noch lange Bestand haben. Auf der einen Seite verstand Chomsky Spracherwerb nativistisch, und auf der anderen Seite fasste Piaget Sprache konstruktivistisch auf. Die Stern'sche Konvergenztheorie vereinte diese Kontroverse in ihrem interaktionistischen Konzept (vgl. Klann-Delius 1999: 1–21; Stern/Stern 1928). Die Kontroverse wurde immer wieder von Neuem entfacht und ist selbst heute noch nicht gänzlich beigelegt. Im Folgenden soll eine Hauptströmung der jüngsten Spracherwerbsforschung vorgestellt werden: der netzwerktheoretische Ansatz. Demgegenüber werden zur Veranschaulichung zuerst die inzwischen als überholt geltenden Annahmen der Generativen Grammatik dargestellt.

2.3 Spracherwerbstheorien: Generative Grammatik vs. Netzwerktheorie

An dieser Stelle wird zuerst auf die Annahmen der Generativen Grammatik bezüglich des Spracherwerbs eingegangen. Im Gegensatz zu den netzwerktheoretischen Ansätzen gilt die Generative Grammatik inzwischen größtenteils als überholt.

Bedeutend für diese Theorierichtung sind in jedem Fall die Arbeiten Chomskys. Er prägte zwei generative Spracherwerbsmodelle: das *Language-Acquisition-Device-Modell* (*LAD-Modell*) und das *Prinzipien- und Parametermodell* (*P&P-Modell*) (vgl. z.B. Chomsky 1986).

Das *LAD-Modell* geht davon aus, dass das Wissen, das jedem Kind angeboren ist, allgemeine, für alle Sprachen gültige Informationen zu Form und Bedeutung von Sprache bereithält (vgl. Klann-Delius 1999: 50).

„The generative grammar of a particular language [...] is a theory that is concerned with the form and meaning of expressions of this language. [...] It is concerned with those aspects of form and meaning that are determined by the ‚language faculty', which is understood to be a particular component of the human mind. The nature of this faculty is the subject matter of a general theory of linguistic structure that aims to discover the framework of principles and elements common to attainable human languages; this theory is now often called ‚universal grammar' (UG), adapting a traditional term to a new context of inquiry. UG may be regarded as a characterization of the genetically determined language faculty. One may think of this faculty as a ‚language acquisition device', an innate component of the human mind that yields a particular language through interaction with the presented experience, a device that converts experience into a system of knowledge attained: knowledge of one or another language" (Chomsky 1986: 3).

In diesem Zusammenhang wird außerdem zwischen Hypothesenbildungs- und Hypothesenbewertungsverfahren unterschieden. Ersteres geht so vor, dass mithilfe der formalen und substanziellen Universalien das Kind Hypothesen zur Sprachstruktur aufstellt. Dafür steht ihm die Inputsprache zur Verfügung (vgl. Klann-Delius 1999: 51). Zweiteres bezeichnet den Mechanismus, der bei der Entscheidung hilft, welche der Regelmengen die effektivere Grammatik darstellt. Die drei als angeboren vorausgesetzten Bestandteile sprachliche Universalien, Hypothesenbildungsverfahren und Hypothesenbewertungsverfahren bilden zusammen das LAD.

In der Theorie zum *P&P-Modell* nimmt Chomsky an, dass sich die Universalgrammatik (UG) aus abstrakten Prinzipien zusammensetzt, die eine Allgemeingültigkeit für alle Sprachen besitzen. Außerdem besteht die UG aus Parametern, diese schränken die verschiedenen Optionen, die in einem Prinzip zur Wahl stehen, ein (vgl. Chomsky 1986: 24; Klann-Delius 1999: 52). Das Kind erwirbt Sprache also über das Setzen von Parametern, das heißt über die Festlegung auf eine Option unter mehreren möglichen Prinzipien. Die Muttersprache hat „lediglich Triggerfunktion für die Wahl der Parameterwerte" (Elsen 1999: 5).

Die Arbeiten im Rahmen der Generativen Grammatik sind sehr breit gefächert (vgl. z.B. Pinker 1984; 1989; Felix 1987; Fanselow/Felix 1990; Clahsen 1989; 1992; Chomsky 1970; 1986; Tracy 1991 oder Collings 1990). Auch wenn sich Meinungen unter den VertreterInnen der Generativen Grammatik finden, die partiell von folgenden Punkten abweichen können, soll an dieser Stelle doch zur besseren Übersicht ein Hypothesenkatalog, wie er auch bei Elsen zu finden ist, angeschlossen werden (vgl. Elsen 1999: 10):

1. Sprache wird nicht als Teil der gesamten kognitiven Entwicklung gesehen. Sie entsteht unabhängig von biologischer und evolutionärer Plausibilität.

2. Einzelne sprachliche Aufgabenbereiche werden unabhängig voneinander erworben. Auch der Erwerb sprachlicher und nichtsprachlicher Fähigkeiten ist nicht miteinander verbunden.

3. Kategorien und Regeln in abstrakter Form sind angeboren.

4. Diese Regeln und Kategorien sind als symbolisch, abstrakt und genau festgesetzt sowie zwangsläufig auftretend zu verstehen.

5. Besonders wichtig für vorliegende Untersuchung ist die Annahme, dass inter- und intraindividuelle Variation nur vereinzelt am Rande auftaucht.

6. Sprache wird schnell, genau und zuverlässig erworben. Transition ist dabei nicht zu erwarten.

7. Der Input der Muttersprache besitzt nur eine Triggerfunktion zum *Parameter-Setting*.

8. Die nichtsprachliche Umwelt spielt beim Erwerb von Sprache keine Rolle.

Der netzwerktheoretische Gedanke – auch als Konnektionismus bezeichnet – erklärt den Spracherwerb auf andere Weise. Besonders übersichtlich scheint dieser Denkansatz in Glück (2000) zusammengefasst: Der Konnektionismus[11] wird darin definiert als:

> „Forschungsrichtung der Künstlichen Intelligenz, die versucht, zur Simulation intelligenten Verhaltens auf dem Computer Erkenntnisse über die Funktionsweise des menschl. Gehirns zu berücksichtigen. Die zentrale Modellvorstellung ist die des neuronalen Netzwerkes. Dieses besteht aus einer Anzahl kleinerer Prozessoren, die ohne zentrale Steuerung relativ unabhänig voneinander arbeiten, aber über ein dichtes Netzwerk Signale austauschen. In diesem Netzwerk sollen sich nach Prinzipien der Selbstorganisation Strukturen aufbauen, die unbewußte, assoziative oder intuitive kognitive Prozesse simulieren. Da neuronale Netzwerke Informationen enthalten, die nicht durch Symbole oder Symbolstrukturen repräsentiert sind, bezeichnet man sie oft als sub-symbolisch" (Glück 2000: 366).

Die grundlegenden Annahmen zur Netzwerktheorie sollen an dieser Stelle mithilfe des oben eingeführten Hypothesenkatalogs dargelegt werden, um den Gegensatz zu den Vorstellungen der Generativen Grammatik deutlich werden zu lassen. In diesem Sinne müssen die Hypothesen dann lauten (vgl. Elsen 1999: 212):

1. Ad evolutionäre Plausibilität: Spracherwerb muss als Teil der gesamten kognitiven Entwicklung verstanden werden.

2. Ad Interaktivität: Input, Verarbeitungsprozesse des kognitiven Systems und Faktoren der Kommunikationssituation interagieren. Es herrscht außerdem Interaktion zwischen den verschiedenen sprachlichen Aufgabenbereichen.

3. Ad angeborene Regeln: Strukturen und Kategorien brauchen nicht als angeboren betrachtet zu werden. Angeboren sind lediglich allgemeine kognitive Verarbeitungsmechanismen, die regelhafte Strukturen aus der Umgebungssprache extrahieren, analysieren und schließlich generalisieren.

4. Ad Variabilität: Sie existiert inter- und intraindividuell, situativ und zeitlich.

5. Ad Prototypizität: Einheiten, Kategorien und Regeln sind nicht absolut definiert, sondern durch relativ prototypische Repräsentanten vertreten.

---

[11] Der Begriff Konnektionismus umfasst eine bestimmte, recht enggefasste Strömung der netzwerktheoretischen Ansätze. Die vorliegende Definition kann in diesem Zusammenhang aber dennoch einen guten Überblick über den Inhalt der Theorierichtung im Allgemeinen bieten.

6. Ad Kompromissbereitschaft: Sich noch im Aufbau befindliche, einge-
    schränkte kindliche Verarbeitungsleistung des kognitiven Systems kann
    durch verschiedene kompensierende Strategien ausgeglichen werden.
7. Ad Funktionalität: Sprache ist durch funktionale Faktoren wie Sprechsitua-
    tion und SprachbenutzerInnen beeinflusst.

Punkt 2.2 dieser Untersuchung stellte die Anfänge und ersten Entwicklungswel-
len der Spracherwerbsforschung dar. Neuere Forschungsvorhaben wurden dabei
bisher ausgespart. Im Zusammenhang mit den netzwerktheoretischen Ansätzen
soll für die neueren Forschungserkenntnisse auf die Arbeiten Elmans (2001) mit
Computersimulationen neuronaler Netzwerke und auf neurolinguistische Untersuchungen mithilfe von ERPs und fMRI von Dick et al. (2005) verwiesen werden. Elman beschreibt dabei ein wiederkehrendes computersimuliertes Netzwerk, das Wörter grammatischen Kategorien zuweisen kann, und zwar basierend auf Hinweisen, die es aus der Eingabe von Input in Form von Reihen korrekter Sätze bezieht. Da die computersimulierten Netzwerke neuronalen Strukturen im menschlichen Gehirn nachempfunden sind, könnten die Ergebnisse dieser
Experimente auch für den menschlichen Spracherwerb gelten. In weiteren Expe-
rimenten arbeitet Elman mit Netzwerken, die in der Lage sind, grammatikalische
Abhängigkeiten zu erlernen, die über größere Abstände im Satz hinweg bestehen. Dabei nutzt er computersimulierte Netzwerke, die dynamische Eigenschaften, beispielsweise eine Feedbackschleife, besitzen. Diese Feedbackschleife ver-
sorgt das Netzwerk mit einem dynamischen Gedächtnis. Das Ergebnis seiner
Versuche lässt sich folgendermaßen beschreiben. „In other words, the network
seemed to be capable of inducing the grammatical structure of the input sen-
tences from the input strings themselves, and this without any prior knowledge
as to the type of grammar that was initially used to generate the training set"
(Plunkett 1995: 66). Elman kommt außerdem zu dem Resultat, dass die Repräsentation von Informationen innerhalb der neuronalen Netzwerke hoch strukturiert sein muss. Weitere Ergebnisse dieser Experimente betreffen die Beschaffenheit des Inputs. Elman weist nach, dass langsame Steigerung des Inputs von
einfachen zu stetig komplexeren Strukturen wesentlich besser durch das Netzwerk verarbeitet werden kann als eine sofortige Eingabe von komplexen Strukturen ab Beginn des Trainings. Der anfänglich eingeschränkten Verarbeitungs-

kapazität bzw. dem eingeschränkten Gedächtnis neuronaler Netzwerke weist Elman einen entscheidenden Vorteil, ja eine Notwendigkeit bezüglich des Erwerbs von Sprache zu: „In this manner, Elman was able to demonstrate an actual advantage of limited memory span in simple recurrent networks for the initial extraction of syntactic structure and suggested that the importance of starting small may also impinge on children's syntax acquisition" (Plunkett 1995: 69).[12]

Aber auch Dick et al. (2005) belegen mit ihrer Studie mithilfe von ERPs und fMRI, dass Sprachverarbeitung netzwerkartig im Gehirn organisiert ist. Dick et al. präsentieren zahlreiche Studien mit Aphasiepatienten. FMRI zeigt, dass „language may rely upon a much broader confederacy of cortical and subcortical regions than those classically associated with language function" (Dick et al. 2005: 241). Dick et al. stellen außerdem Untersuchungen vor, die die hohe Plastizität des sich entwickelnden Gehirns abbilden und verstehen diese Ergebnisse als einen Beweis für einen netzwerktheoretischen Zugang zu Sprachverarbeitung und entsprechende neuronale Umschreibungen.

In der vorliegenden Studie sind im Zusammenhang mit netzwerktheoretischen Erklärungen konkret besonders die Phänomene *Interaktion, Variation* und *Transition* von Bedeutung. Elsen (1999) gibt einen ausführlichen Überblick über diese: *Interaktion* bzw. *Complexity/Fluency Trade Off* bezeichnet die gegenseitigen Einflüsse zwischen verschiedenen sprachlichen und nichtsprachlichen Bereichen und die Existenz übergreifender Verarbeitungsmechanismen im gesamten kognitiven System. *Transition* meint die gleitenden Übergänge zwischen alten und neu erworbenen Konstruktionen, also ein gewisses Nach und Nach neu erworbener Formen. *Variation* soll sich auf Schwankungen zwischen zielsprachlichen und verschiedenen davon abweichenden Bildungen beziehen (vgl. Elsen 1999: 2). Wie spielen nun diese drei Begriffe zusammen? Der Umstand, dass der Spracherwerb nach und nach vor sich geht und immer wieder abweichende Formen neben neu erworbenen korrekten Bildungen stehen, lässt sich durch die netzwerkartige Informationsverarbeitung im Gehirn erklären (vgl. Abbildung 1).

---

[12] Für eine weitere und ausführlichere Darstellung von Elmans Arbeiten vgl. Elman (2001) und seinen aktuellen Überblick über die Erkenntnisse aus bisherigen computersimulierten Modellen (vgl. Elman 2005).

Abbildung 1: Das netzwerkartige Zusammenspiel sprachlicher Aufgabenbereiche aus Elsen (1999: 186)

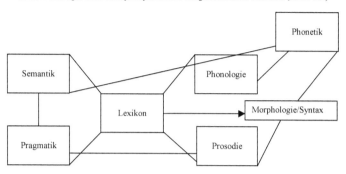

Der Informationsfluss gestaltet sich kaskadenförmig. Das bedeutet, dass immer auch benachbarte Knoten des eigentlichen Zielknotens mitaktiviert werden. Hat der Nachbarknoten ein höheres Grundaktivierungsniveau, kommt es zu einer Fehlaktivierung. Mit jeder erfolgreichen korrekten Aktivierung steigt aber auch das Grundaktivierungsniveau des Zielknotens, und es wird immer wahrscheinlicher, dass der korrekte Knoten aktiviert wird. Trotzdem kann es auch bei fortgeschrittener Entwicklung noch zu Fehlaktivierungen kommen, die aber immer mehr abnehmen und irgendwann ganz verschwinden. Die Verarbeitungskapazität des neuronalen Netzwerks, das der Struktur unseres Gehirns zugrunde liegt, ist zu Beginn des kindlichen Spracherwerbs noch eingeschränkt. Im Lexikon laufen die sprachlichen Aufgabenbereiche wie Phonologie, Pragmatik, Syntax, Semantik zusammen. „Im pragmatische Bereich sind Informationen über Redesituation, Kontext, Sprecherintention, indirekte Sprechakte etc. kodiert. Auf der semantischen Ebene ist visuell-konzeptionelle Information angesiedelt, auch auditive, olfaktorische oder taktile Informationen für die Begriffsbildung. Auf der phonetischen Ebene ist phonetische Information kodiert. Der prosodische Bereich liefert Angaben zur Wortgestalt (Länge (Silbenanzahl), Akzentstruktur, Informationsverläufen etc.)" (Elsen 1999: 208). Reicht die Verarbeitungskapazität der neuronalen Netzwerke im Bereich der Artikulation noch nicht so weit aus, beispielsweise *Hund* zu realisieren, übernimmt und füllt ein anderer Aufgabenbereich die Lücke, z.B. der Wortschatz, der *Wauwau* für *Hund* einführt. Oder mit anderen Worten: Wo immer Information fehlt, wird dies durch die Aktivierung der übrigen Bereiche kompensiert, da alle Gebiete miteinander in Verbindung stehen und Gruppen von Einheiten bei der Repräsentation verschiedener Konzepte beteiligt sein können. Alle Seiten entwickeln sich nicht getrennt, sondern werden schon früh gemeinsam aktiviert, ohne dass das aktivierte Muster sehr nah an den zielsprachlichen Ausdruck reicht (vgl. Elsen 1999: 187). Da das Kind gegen Abschluss seiner sprachlichen Entwicklung ein gesamtes Sprachsystem beherrschen soll, müssen nach und nach alle sprachlichen Aufgabenbereiche erworben und ausgebaut werden. Dieser Erwerb erfolgt aber keinesfalls in modulhafter Art und Weise, sondern eben durch Interaktion, Variation und Transition. Die hohe neuronale Plastizität ermöglicht, dass Reorganisationsprozesse im Bereich der sprachlichen Informationsverarbeitung nicht auf bestimmte, klar festlegbare kritische Phasen begrenzt sind. Die hohe Komplexität sprachlicher Funktionen erfordert eine flexiblere Betrachtungsweise: Die sprachlichen Systeme entwickeln sich vielmehr zeitlich gestaffelt (vgl. Zangl/Peltzer-Karpf 1998: 1–3). Dies bedeutet konkret, dass ein Schwerpunkt der sprachlichen Entwicklung eine kurze Weile lang im Mittelpunkt zu stehen scheint, allerdings zulasten anderer sprachlicher Aufgabenbereiche, da ja die neuronale Verarbeitungskapazität noch nicht voll ausgeschöpft werden kann. Der Fokus kann im nächsten Moment aber schon wieder auf einem anderen sprachlichen Aufgabenbereich liegen, während sich die bisher zurückgedrängte Domäne möglicherweise nur langsam und immer wieder mit Rückschritten verbunden weiterentwickelt. Doch auch der neue Schwerpunkt wird wiederum verdrängt und so weiter. Die Schwerpunktsetzung wird bei jedem Satz neu entschieden gleich einer unterschiedlichen Signalberücksichtigung (*Complexity/Fluency Trade Off*).

Im nächsten Punkt der Arbeit soll auf die Arbeiten Bittners speziell zum Erwerb der Nominalphrase des Deutschen verwiesen werden, da erst sie die Fragestellungen der vorliegenden Arbeit hinreichend nachvollziehbar machen.

2.4   NP-Erwerbsreihenfolge: NP-Erwerb nach Bittner

Bittner beschäftigt sich in ihren Untersuchungen neben der Quantifikation nominaler Referenten auch mit der allgemeinen Entfaltung grammatischer Relationen im NP-Erwerb und trifft, als eine der wenigen LinguistInnen, die sich bisher mit dem Erwerb der NP im Deutschen beschäftigt haben, Annahmen über die chronologische Erwerbsreihenfolge oder die „Differenzierung des Referenz-raums der NP" (Bittner 1998: 265). In diesem Sinne geht sie davon aus, dass nach der Phase der eingliedrigen NPs, in der Nomina sowie bestimmte und un-bestimmte Artikel nur isoliert auftauchen, in der anschließenden Phase der zweigliedrigen NPs eine ungefähre Erwerbsreihenfolge der NP-Konstituenten eingehalten wird. Demnach wird zuerst der unbestimmte Artikel mit einem No-men verbunden, aber auch ein Adjektiv kann schon in Verbindung mit einem Nomen stehen. Es folgt der Possessivartikel, ebenso *anderer* und *kein*. Im An-schluss tauchen nun *mehr* und *viele* in Verbindung mit einem Nomen auf und auch der bestimmte Artikel wird nun, so Bittner, mit einem Nomen verwendet. Diese Phase abschließend, finden sich dann *zwei* und *drei* mit Nomen. In der letzten Periode erwartet Bittner dreigliedrige NPs, das Nomen wird dann von Begleitern vervollständigt, die zwei verschiedene strukturelle Positionen beset-zen (vgl. Bittner 1998: 265–277). Bittner interpretiert diese typische Erwerbs-reihenfolge, die sie bei mehreren Kindern des von ihr untersuchten Korpus bestätigt fand, als die Entfaltung eines Konzepts der Quantifikation nominaler Referenten. Zu Beginn der Entwicklung vermutet Bittner die Merkmalsopposti-on ‚eins' und ‚nicht eins'.[13] Für die Bedeutung ‚eins' benutzt das Kind den un-bestimmten Artikel. ‚Nicht eins' unterteilt sich mit fortschreitendem Spracher-werb sinngemäß in ‚weniger als eins' und ‚mehr als eins'. Für die Bedeutung ‚weniger als eins' benutzt das Kind die NP-Konstituente *kein*. ‚Mehr als eins' lässt sich, so Bittner, spalten in die Bedeutung einer unbegrenzten Menge und die Bedeutung einer begrenzten Menge. Für die unbegrenzte Menge nimmt das Kind die NP-Konstituente *mehr* und *viele* in Verbindung mit einem Nomen. Im Laufe der weiteren Entfaltung des Konzepts benutzt das Kind die Konstituente *zwei* für die Bedeutung ‚eins mehr als eins' und *drei* für ‚zwei mehr als eins' (vgl. Bittner 1999: 63–69): „Die hier betrachteten Quantoren differenzieren die-sen Bereich sowohl semantisch als auch funktional. Es läßt sich zeigen, daß ihre entsprechenden Eigenschaften aufeinander Bezug nehmen und schrittweise er-worben werden. Sie bilden die Basis eines in sich semantisch und funktional strukturierten Bereichs des Lexikons" (Bittner 1999: 51).

---

[13] Auch Elsen arbeitet in ihrem Artikel zum Erwerb des deutschen Plurals mit dieser Unter-scheidung (vgl. Elsen 2000).

Im nächsten Punkt der Untersuchung sollen die Bestrebungen und Ergebnisse bisheriger Spracherwerbsforschung mit dem Schwerpunkt Schemata dargestellt werden.

2.5 Erwerb von NP-Schemata: Definition, Terminologie

Neben der Erwerbsreihenfolge der Nominalphrase soll es in vorliegender Untersuchung einen zweiten Schwerpunkt geben: die NP-Schemata.

Während der Analyse der NP-Formen haben sich in den Daten einige besondere Konstruktionen gefunden, die darauf hindeuten, dass sie unmittelbar mit dem Erwerb der Nominalphrase in Verbindung stehen. Es handelt sich dabei um feste NP-Formen, die sich in den Daten immer wieder in ähnlicher Weise zeigen, und zwar bei allen drei Kindern, deren Äußerungen dieser Arbeit zugrunde liegen. Sie bestehen aus mindestens zwei Lexemen, wobei eines davon nach erwachsenensprachlichen Kategorien ein Nomen ist, und sind deshalb so bemerkenswert, weil sie anfangs wie versteinert oder gefroren wirken. Das bedeutet, dass beispielsweise zwei Lexeme eine Zeit lang nur in dieser einen Kombination vorkommen: etwa die Konstruktion *mehr Brille*. Weder *mehr* noch *Brille* kommt in den Äußerungen des betreffenden Kindes sonst vor. Die beiden Komponenten existieren nur in der Bildung *mehr Brille*. Und auch die weitere Beobachtung dieser Kombination ist bemerkenswert: Mit fortschreitender Entwicklung erscheinen weitere Nomina mit *mehr*. Das betreffende Kind bildet eine ganze Reihe analoger Äußerungen, etwa *mehr Auto*, *mehr Käfer* und so weiter, wenn auch noch nicht mit entsprechender Numeruskongruenz so doch häufig mit fortgeschrittener Artikulationsleistung. Diese Auffälligkeiten dienten während der Analyse als Kriterium, um die hier beschriebenen fixen Formen zu identifizieren und ihre Entwicklung zu verfolgen. Bei den später – vgl. z.B. Tabelle 2 – dargestellten und in ihrer Entwicklung erläuterten Schema-Typen, die in den Daten der einzelnen Kinder auftauchen, handelt es sich mit Sicherheit nicht erschöpfend um alle während des Erwerbs benutzten Formeln und Schemata. Vielmehr reicht die getroffene Auswahl der häufigsten und anschaulichsten Analysebeispiele aus, um die Entwicklung der Formen plausibel darzustellen.

Welcher Terminus soll nun aber für diese Formen stehen? Es lassen sich in der einschlägigen Literatur bisher verschiedene Bezeichnungen finden, etwa

Schemas, Formulas, Frames, Templates (Dabrowska 2000); *Big Words, Rote-learned Phrases, Prefabricated Units* (Dabrowska 2004); *Frozen Phrases* (Lieven/Pine/Dresner Barnes 1992; Pine/Lieven 1993); *Pivot-Schemas, Item-based Constructions* (Tomasello 2003) und *Zweiwort-Schemata* (Kaltenbacher 1990). Die hier aufgeführten Begriffe verweisen teilweise schon auf die zugrunde liegenden Erklärungen und bezeichnen die verschiedenen Entwicklungsschritte der untersuchten starren Formen. Die vorliegende Studie wird hauptsächlich mit den deutschen Bezeichnungen Formel und (NP-)Schema arbeiten (vgl. Dabrowska 2000 und Elsen 1999), da sie sich später bei der Einordnung in einen größeren Zusammenhang und theoretischen Rahmen als für den Sachverhalt treffend erweisen werden (vgl. weiter unten und Punkt 6.2.2).

Eine erste, stark vereinfachte Übersicht über die hier identifizierten und untersuchten Schemata soll Tabelle 2 gewähren.

Tabelle 2: Schemata, die in den Daten der untersuchten Kinder gefunden wurden

	Syntaktisches Schema	**Beispiele**
Schema A	*da/s* mit NP (mit deiktischer Bedeutung)	z.B. *da Ball* (ANN 1;6); z.B. *da nackte Füße* [ˈdaːnɑsˈfiːsə] (ANN 1;9)
Schema B	*(noch) mehr* mit NP	z.B. *mehr Paket* [meːɐ̯ˈkeːtʰ] (ANN 1;8)
Schema C	*wo* mit NP	z.B. *wo ist meine Flasche?* [voːˈɪtma͡͡iˈflɑːsə?] (ANN 2;1) z.B. *wo Auto?* (AL 1;6)
Schema D	NP mit *ist/sind das* (mit deiktischer Bedeutung)	z.B. *ein Katze is das;* z.B. *schöner Löwe is das* (beide FAL 2;0)

Die folgende kurze Zusammenfassung dazu, was bisher in der gängigen Spracherwerbsliteratur zu Schemata berichtet wurde, soll den Einstieg in die Analyse der Daten erleichtern.

Dabrowska hat vor allem im Rahmen des Erwerbs der englischen Frage aufschlussreiche Ergebnisse zum Gebrauch, zur Entstehung und Funktion von Schemata erzielt. Grundsätzlich versteht Dabrowska Schemata auf der Ebene der neuronalen Sprachverarbeitung als *Prefabricated Units*, da sie zu einer besseren und schnelleren Sprachverarbeitung beitragen. Ihre neuronale Realisierung braucht relativ wenig Prozessenergie und eignet sich deshalb besonders gut für den Spracherwerb, zu dessen Anfang wenig Verarbeitungsenergie bereitsteht (vgl. Dabrowska 2000; 2004). Neben Dabrowska gehen auch Kaltenbacher (1990), Pine/Lieven (1993) und Tomasello (2003) von einem bestimmten Entwicklungsablauf bzw. einem kindlichen kognitiven Analyseprozess hin zu Schemata aus. Im Allgemeinen nehmen alle genannten LinguistInnen an, dass das Kind während des Spracherwerbs unanalysierte, starre Formen oder, unter anderem nach Dabrowska und Elsen, *Formulas* aus dem Input übernimmt. Es kommt dann zu einem kognitiven Prozess, in dem aus unanalysierten Formen mehr und mehr abstrakte Schemata entstehen, die mit fortlaufender Entwicklung auch einen *Slot*, eine variabel füllbare Leerstelle, aufweisen. Dabrowska etwa ordnet diesem Generalisierungsprozess die Entwicklung von *Fixed Phrases* über *Formulaic Phrases with Slots* zu *More Abstract Patterns* zu (vgl. Dabrowska 2004: 183–185). Der zugrunde liegende Analyseprozess besteht, laut Dabrowska, aus einer Segmentierung phonologischer Repräsentation und einer semantischen Analyse. Außerdem vermutet sie, dass es in diesem Zusammenhang auch zu einem Feststellen oder Abgleichen von Übereinstimmungen zwischen *Chunks* aus phonologischem Material und herausragenden Aspekten der semantischen Struktur kommt (vgl. Dabrowska 2000: 93–96 sowie 2004).

Das Phänomen der Schemata scheint jedoch mehrere Aspekte des Spracherwerbs zu berühren. Tomasello (2003), Dabrowska (2004) und auch Bartsch (in Vorbereitung) gehen davon aus, dass es eine enge Beziehung zwischen lexikalischer und syntaktischer Entwicklung gibt. Schemata eignen sich deshalb so gut, um diese Vermutung zu untermauern, weil sie als Startpunkt syntaktischer Entwicklung verstanden werden können (vgl. Bartsch in Vorbereitung; Dabrowska 2004: 159–162; Tomasello 2003: 91–93). Bartsch nimmt in ihrer *Lexical Bootstrapping Hypothesis* an, dass der syntaktischen eine lexikalische Entwicklung nicht nur vorausgeht, sondern dass die lexikalische Entwicklung sogar als Voraussetzung für die syntaktische verstanden werden kann (vgl. Bartsch in Vorbereitung). Übertragen auf das Schema, so mutmaßt Dabrowska, hat das Extrahieren eines Schemas aus dem Input ganz klar eine lexikalische Komponente, wenn auch auf einen engen lexikalischen Rahmen begrenzt (vgl. auch Dabrowska 2004: 159–162). Durch das Arbeiten mit dem Schema, vielmehr durch die kindliche Analyse eines Schemas, erwirbt das Kind dann mehr und mehr syntaktisches Wissen.

Nach einem Überblick über die theoretischen Grundlagen sollen die Daten, die dieser Untersuchung als Grundlage dienen, im nächsten Abschnitt präsentiert werden.

3. Empirische Untersuchung

3.1 Datenquellen: CHILDES-Datenbank und Tagebuchstudie von Elsen (1991)

Hier soll zunächst auf die zwei unterschiedlichen Datenquellen der vorliegenden Untersuchung und anschließend auf die Probleme, die sich auf beiden Seiten ergeben, eingegangen werden.

Die CHILDES-Datenbank[14] stellt per Internet Hilfsmittel bereit, mit denen sprachliche Interaktion näher untersucht werden kann. In diesem Sinn bietet CHILDES unter anderem eine Datengrundlage bestehend aus Transkripten, Programmen zur Computeranalyse der Transkripte sowie Methoden zur linguistischen Kodierung an. Ziel von CHILDES ist es einerseits, Fragen speziell zum Spracherwerb, etwa zum *Vocabulary-Spurt*[15], zu klären, und andererseits aber auch Sprachsozialisationsprozesse zwischen sozialen Schichten oder Kulturen vergleichbar zu machen. Die Datenkorpora enthalten zahlreiche Transkripte von Sprachlernenden, wobei der Schwerpunkt auf der spontanen sprachlichen Interaktion liegt. Oft wurden junge, monolinguale SprecherInnen aufgenommen, die sich ungestört entwickeln. Aufnahmesituation ist meist die sprachliche Interaktion mit den Eltern. Insgesamt verfügt die CHILDES-Datenbank über Korpora 26 verschiedener Sprachen. Allein im Bereich der germanischen Sprachen sind Datensätze für Afrikaans, Dänisch, Niederländisch, Deutsch und Schwedisch zu finden. Im Zusammenhang mit der vorliegenden Arbeit soll im Besonderen auf das Szagun-Korpus[16] eingegangen werden. Dieses enthält Sprachdaten von normal hörenden Kindern und im Vergleich dazu von Kindern mit einem Cochlear-Implantat (vgl. Szagun 2004; 2001). Jede der 426 Dateien ist das Transkript einer zweistündigen Sitzung mit den Kindern. Im Bereich der Sprachentwicklung normal hörender Kinder, die für vorliegende Untersuchung über den ungestörten

---

[14] CHILDES als Abkürzung für *Child Language Data Exchange System*; vgl. http://childes.psy.cmu.edu.

[15] Der *Vocabulary-Spurt* gilt in der Spracherwerbsforschung als sprunghafter Anstieg des kindlichen Lexikoninhalts. „In der Mitte des zweiten Lebensjahres erfährt das kindliche Lexikon innerhalb weniger Wochen eine sprunghafte Ausweitung von 50 auf über 100 Wörter" (Klann-Delius 1999: 25).

[16] Dieser Korpus wurde mit freundlicher Genehmigung von Gisela Szagun für vorliegende Untersuchung zur Verfügung gestellt.

Spracherwerb von Bedeutung ist, sind Daten von sechs Kindern in jeweils 22 Gesprächsprotokollen verfügbar. Die Aufnahmen erfolgten im Schnitt alle fünf Wochen, im Alter von 1;4 bis 3;8[17].

Die ergänzenden Daten, die der hier vorliegenden Untersuchung zugrunde liegen, stammen aus der Tagebuchstudie von Elsen (1991). Elsen, die den Schwerpunkt ihrer Untersuchung auf den Erwerb des Lautsystems legte, beobachtete ihre Tochter AL zwischen dem achten Lebensmonat und dem Alter von 2;5 rund um die Uhr, von wenigen Ausnahmen abgesehen. Ab dem ersten Wort mit 0;8 machte Elsen sich ständig Notizen zu auffälligen Äußerungen und übertrug diese zweimal täglich auf Karteikarten, wobei sie auf die spezielle Situation der Entstehung eingehen konnte. Die täglichen Notizen endeten, als AL 2;5 war und das gesamte Lautinventar der deutschen Sprache beherrschte, die drastische Erweiterung des Wortschatzes ständige Niederschriften aber unmöglich machte. Elsens Datensammlung liegt einerseits in einer alphabetischen Ordnung vor, die einen Überblick über die lautliche Entwicklung der einzelnen Wörter ermöglicht, andererseits wird diese ergänzt durch eine chronologische Zielwortliste, die die Entwicklung des Lexikons veranschaulicht (vgl. Elsen 1991: 185–395). Des Weiteren bietet Elsen Überblicke über die ersten 30 Verben, Übergeneralisierungen der Partizipien, erste Nomina, Übergeneralisierungen der Plurale, Spontanbildungen in Form von Komposita und Derivaten, zusammengesetzte Tempora sowie Kurzüberblicke über die Entstehung verschiedener Wortarten und eine Auswahl von Nonsenssätzen und -ausdrücken (vgl. Elsen 1999: 219–255).

Nun ergeben sich aus beiden Arten der Datenerhebung Vor- und Nachteile. Da einerseits der Schwerpunkt dieser Arbeit, der Erwerb der Nominalphrase, nicht mit dem Fokus der Untersuchung von Elsen, der Entwicklung des Lautsystems, übereinstimmt, konnten nicht zu allen Stufen der NP-Entwicklung vergleichbare Daten bei AL gefunden werden. Andererseits ist die Bedeutung von Daten umstritten, die kontinuierlich alle fünf Wochen zwei Stunden des kindlichen Gesprächsverhaltens dokumentieren. Mit dieser Methode werden nur die zufällig in dieser Zeitspanne gefallenen Äußerungen bzw. *Tokens* des Kindes er-

---

[17] Innerhalb dieser Analyse erfolgt die Altersangabe der Kinder nach dem Muster „Lebensjahre;Monat", also etwa 3;8.

fasst. Problematisch daran ist, dass diese eventuell nicht repräsentativ für den aktuellen Entwicklungsstand des Kindes sind. In diesem Sinn könnte das Kind beispielsweise gerade in diesen zwei Stunden besonders müde sein und somit einen falschen Eindruck des Entwicklungsstands für diesen untersuchten Termin vermitteln. Elsen stellte bei der Untersuchung von AL fest, dass alle Neuerungen der Sprachentwicklung nach ihrem ersten Erscheinen ungefähr einen Monat brauchen, um in den laufenden, alltäglichen Gebrauch überzugehen (vgl. Elsen 1991: 16). Für die Schlussfolgerungen, die anhand der Daten aus dem Szagun-Korpus gezogen werden, könnte dies bedeuten, dass Neuerungen in der NP-Entwicklung zu dem Zeitpunkt, zu dem sie erstmals in den Gesprächsprotokollen erscheinen, nicht zwangsläufig auch wirklich Neuerungen für die Entwicklung des Kindes sein müssen, sondern schon vor einem Monat erstmals produziert worden sein könnten. Da aber das erste Erscheinen einer bestimmten NP-Konstituente oder vielmehr das Alter des Kindes bei erstmaligem Erscheinen der Konstituente nicht vorrangig ausschlaggebend für die vorliegende Fragestellung ist, sondern es dabei eher um die ungefähre Erwerbsabfolge und mögliche Schwerpunktverlagerungen sowie Interaktionen sprachlicher Aufgabenbereiche geht, sollte die Aussagekraft dieser Arbeit nicht übergebührend durch diesen Einwand geschmälert werden. Weitere Probleme mit den verschiedenen Methoden der Datenerhebung zeigen sich in der unterschiedlichen phonetischen Notationsweise. Während Elsen das exakte und gängige IPA für ihre Aufzeichnungen benutzt, verfügt die CHILDES-Datenbank über ein eigenes System für die phonetische Umschrift. Problematisch hieran könnte sein, dass dabei auf Genauigkeit nicht immer ausreichend geachtet wird. Es sollte deshalb Vorsicht walten bei Schlussfolgerungen, die aus der CHILDES-spezifischen Umschrift resultieren. Auch hier bleibt relativierend zu erwähnen, dass für die vorliegende Fragestellung nach der chronologischen NP-Entwicklung die exakte Lautung nur eine untergeordnete Rolle spielt und sich diese Untersuchung deshalb nicht allzu sehr auf das phonologische Notationssystem von CHILDES verlassen muss. Als Problem stellte sich bei CHILDES auch die Information über die genaue Zielsprache der untersuchten Kinder FAL und ANN heraus. Auch bei näherer Nachfrage ließ sich die regionale Herkunft der Eltern nicht klären, nur dass die Kinder während der Aufzeichnungen in und um Oldenburg aufwuchsen, kann als gesichert betrachtet werden. Elsen hingegen, als engste Bezugsperson von AL, gibt in ihrer Untersuchung genau Aufschluss über die Besonderheiten ihres eigenen Sprachgebrauchs (vgl. Elsen 1991: 55–58). Außerdem wurden die Gesprächsprotokolle eines Kindes aus dem Szagun-Korpus von unterschiedlichen Personen verschriftet. Auch dies birgt eventuell ein gewisses Risiko.[18] In diesem Sinne bleibt eine gewisse Unsicherheit gegenüber den Interpretationen der verschriftenden Personen bestehen, zumal einige wenige Male während der Gesprächsaufzeichnungen das Tonband ab und kurz darauf wieder angestellt wurde, etwa, weil ein Ortswechsel während der Interaktion stattfand. Weiterhin problematisch könnte die Tatsache sein, dass die ersten Aufzeichnungen bei FAL sehr kurz geraten sind, das Kind manches Mal weniger als die Hälfte der veranschlagten zwei Stunden beobachtet wurde. Da es sich dabei aber um die ersten Aufzeichnungen handelt und die vermutete Tendenz der NP-Entwicklung auch an den folgenden Gesprächsprotokollen zu belegen ist, darf dieses methodische Problem des CHILDES-Korpus nicht überbewertet werden. Ein größeres Problem stellt hier die Tatsache dar, dass Äußerungen der erwachsenen Bezugspersonen der Kinder hin und wieder gekürzt worden sind und sich im Nachhinein nicht klären lässt, was genau dem Kind in diesem Moment gesagt wurde. Dies erweist sich als schwierig für die vorliegende Untersuchung, weil darin nur spontane Äußerungen des Kindes berücksichtigt werden sollen. Nun war aber in einigen Fällen schwer zu erkennen, ob das betreffende Nomen gerade schon von der Mutter benannt wurde und das Kind dies nur imitierte oder ob das Kind selbst spontan das Nomen geäußert hatte. Nach Auskunft von Szagun allerdings kommt in ihrem Korpus ein Nachsprechen dessen, was die Bezugsperson sagt, nicht sehr häufig vor, besonders dann nicht, wenn die Kinder älter als 2;0 sind. Weiterhin wurde versichert, dass eine reine Imitation auch dann vermerkt sei, wenn die entsprechende Äußerung der Bezugsperson gekürzt dargestellt ist.

Trotz aller Bedenken aber lassen sich mit gebotener Vorsicht und Rücksicht auf die methodischen Probleme und die eventuell eingeschränkte Repräsentativität der Daten des CHILDES-Korpus bestimmte Tendenzen für die Entwicklung der

---

[18] Besser wäre es wohl gewesen, immer dieselbe Person die Protokolle eines Kindes verschriften zu lassen, die dann auch Eigenheiten des betreffenden Kindes besser hätte einschätzen oder Veränderungen in der Sprachentwicklung erkennen können.

NP im Erstspracherwerb erkennen. Da mithilfe der CHILDES-Daten mehr präzise Hinweise auf die NP-Entwicklung abzuleiten sind als durch die eher auf den Lauterwerb ausgelegte Untersuchung Elsens, bot es sich an, die beiden CHILDES-Kinder FAL und ANN zum Schwerpunkt dieser Untersuchung zu machen, aber immer wieder auch Beispiele aus der Entwicklung ALs hinzuzufügen, wenn diese eine ähnliche Tendenz wie die beiden CHILDES-Kinder zeigte oder aber eine gänzlich andere Richtung einschlug. Dies bedeutet auch, dass die Zahlen, die in Abschnitt 4.1 dieser Arbeit als Beobachtungen vorgestellt werden, nur aus den Daten von ANN und FAL aus dem CHILDES-Korpus gewonnen wurden. Aus dem Korpus von Elsen lassen sich keine Zahlen zu *Token*-Häufigkeiten ziehen. In Teil 6 der vorliegenden Arbeit werden auch Beispiele aus der weiteren Literatur zum Spracherwerb hinzugezogen, da damit teilweise die Repräsentativität der hier vorliegenden Ergebnisse untermauert werden kann.

Bei der Auswertung der CHILDES-Daten ergaben sich nach und nach einige Problemfälle, die sich nicht ohne Weiteres in eine der in Punkt 2.1 vorgestellten NP-Rubriken einordnen lassen sowie auch einige allgemeinere Probleme mit dem Zählen von spontanen NPs. Aus diesem Grund musste eine konkrete und relativ starre Zählweise der NPs aufgestellt werden, auf die im folgenden Kapitel näher eingegangen werden soll.

3.2 Angewendete Methode: Analyseregeln

Die CHILDES-Kinder ANN und FAL wurden in diesem Sinne alle fünf Wochen zwei Stunden lang aufgenommen und die entstandenen Gesprächsprotokolle verschriftet. Im Alter von 1;4 bis 3;1 wurden dann alle Protokolle in vorliegender Studie analysiert. Die Analyse bestand dabei in einer Zählung aller gängigen NP-*Tokens* bei jedem Kind. Die entstandenen Zahlen sagen also aus, wie oft beispielsweise ANN bei ihrer Aufnahme im Alter von zwei Jahren und einem Monat die NP in Form von bestimmtem Artikel plus Nomen produziert hat. Bei der Zählung der NPs ergaben sich einige Ausnahmen und viele Besonderheiten bei der Zuordnung der NPs zu den entsprechenden Rubriken. Es soll nun veranschaulicht werden, was nicht gezählt wurde, welche Sonderrubriken sinnvollerweise eingerichtet werden mussten und wozu schwer analysierbare NP-

Formen gezählt worden sind. Nach längerer Überlegung wurden folgende Rubriken nicht berücksichtigt: Eigennamen, dazu zählen auch Markennamen oder Orte, wurden, egal, ob mit oder ohne NP-Konstituente, nicht mitgezählt. Gerade der umgangssprachliche Gebrauch von Eigennamen mit bestimmtem Artikel, also etwa *der Peter*, schien nicht in die Kategorie bestimmter Artikel plus Nomen zugehören, da der bestimmte Artikel hier keine explizit differenzierende Kraft besitzt.[19] Wurde *Mama* aber beispielsweise im Sinne von *Mutter* benutzt, was öfter vorkam, wurde der Begriff *Mama* als reguläres Nomen behandelt und gezählt. Da in dieser Untersuchung nur spontane Äußerungen gezählt werden sollten, wurden häufig die ersten Äußerungen des Kindes am Protokollanfang nicht mitgezählt, wenn es den Anschein hatte, dass das Aufnahmegerät mitten in einer sprachlichen Interaktion zwischen Kind und Bezugsperson eingestellt wurde und nicht zu erkennen war, ob die Äußerungen des Kindes spontan waren oder einen vor Beginn der Aufzeichnungen gefallenen Begriff der Bezugsperson aufnahmen. Eine Äußerung gilt in der vorliegenden Arbeit dann als spontan, wenn mehr als zehn kindliche Äußerungen zwischen der ursprünglichen Äußerung der Bezugsperson und der entsprechenden Äußerung des Kindes liegen. War die Äußerung der Bezugsperson in den Aufzeichnungen gekürzt worden, verließ sich die Analyse auf die oben wiedergegebene Auskunft von Szagun zur Markierung von rein imitierten Äußerungen. Nahm das Kind eine NP aus seinem Input auf und verwandelte diese aber in eine andere NP, so wurde die kindliche Äußerung gezählt, weil sie keine reine Imitation darstellt, sondern eine neue Struktur beinhaltet.[20] Des Weiteren wurden die komplexen Verben *Auto fahren, Fernseh gucken, Angst haben, Platz machen, Aua haben, Karussell fahren, Bobbycar fahren, Schlittschuh fahren, Mikado spielen, Pipi machen, Durst/Hunger haben, Kaffee trinken* nicht als NP gezählt, da nicht alle davon einheitlich mit Artikelwörtern oder Ähnlichem stehen, aber im Grunde auch nicht als separate Nomina eingeordnet werden können. Als grobes Kriterium für ein komplexes Verb galt dabei, ob das Verb auch mit dem entsprechenden Substantiv im Duden erscheint (vgl. zusätzlich die Aufzählung in Duden 2006: 53). Bei einigen Kom-

---

[19] Der Fall Eigenname in Verbindung mit einem bestimmten Artikel fand sich ohnehin äußerst selten in den Aufzeichnungen der beiden Kinder.

[20] Vgl. z.B. Mutter: *ein Auto;* Kind darauffolgend: *schönes Auto.*

binationen von Substantiv und Verb ließ sich nicht mit Sicherheit sagen, ob es sich um ein komplexes Verb handelt oder nicht, beispielsweise (*die*) *Hände waschen*. Auch diese Fälle sind in den Zahlen der Tabelle und in den Diagrammen nicht berücksichtigt. Nonsens- oder Pseudowörter, also Buchstabenfolgen, die semantisch nicht transparent sowie nicht im Duden zu finden sind und die das Kind in einer speziellen Situation für einen bestimmten Gegenstand oder einen von ihm zu erklärenden Sachverhalt benutzt, konnten im empirischen Teil dieser Arbeit ebenfalls nicht mitgezählt werden, da zu oft unklar war, ob das entsprechende Wort überhaupt Nominalcharakter hatte oder nicht, denn oft standen diese Formen separat ohne Artikel oder andere NP-Konstituenten. Dasselbe Problem ergab sich bei dem Versuch der Zuordnung von Substantivcharakter zu onomatopoetischen Spontanbildungen.[21] War im Interaktionszusammenhang unklar, ob es sich bei einem Wort um ein Verb oder um ein Substantiv handelt, beispielsweise bei *trinken/Trinken* oder *essen/Essen*, so wurde auch dieses Wort im Zweifelsfall nicht als Nomen gewertet. Ebenso unberücksichtigt, aber auch äußerst selten gebraucht, blieben spezielle umgangssprachliche Konstruktionen wie *am Essen sein*. Da eines der CHILDES-Kinder einen luxemburgischen Tagesvater hatte, fielen bei diesem Kind während einer Aufzeichnung einige luxemburgische Begriffe, die das Kind im deutschen Kontext gebrauchte. Diese wenigen Fälle sind in den empirischen Teil der Arbeit nicht miteingeschlossen. Da es, besonders bei den ersten Aufzeichnungen der CHILDES-Kinder, häufig Artikel gab, die sich nicht eindeutig einer der in Punkt 2.1 beschriebenen NP-Rubriken zuordnen ließen, aber dennoch eindeutig als Artikel benutzt wurden, wurden diese Ausnahmen in einer gesonderten Rubrik gesammelt. Offensichtlich eindeutig reduzierte unbestimmte oder bestimmte Artikel wurden in den Rubriken „Bestimmter/unbestimmter Artikel plus Nomen" erfasst. Bei den uneindeutigen Artikeln handelt es sich um [nə], [dɛnʰə], [dɛmʰ], [dədəpʰ] vor Singularformen sowie [ə] und [n] vor Pluralformen. [əm] und [m] wurden ebenfalls während einer bestimmten Zeit häufiger gefunden, erwiesen sich aber bald als Füllsel, wenn das Kind bei einer Äußerung stockte, und wurden deshalb nicht zu

---

[21] Unter onomatopoetischer Spontanbildung wird eine lautmalerische Bildung verstanden, die so nicht im Duden zu finden ist und für ein noch nicht verfügbares Wort aus dem kindlichen Lexikon, für ein Geräusch oder eine Spielsituation etc. kurzzeitig eingesetzt wird.

den uneindeutigen Artikeln gezählt. Andere Probleme, die sich bei der Analyse der CHILDES-Daten ergaben, drehen sich beispielsweise um die Interpretation eines Schwa [ə] vor einem Nomen. Ab wann kann ein Schwa vor einem Nomen als Artikel gewertet werden? Selbstverständlich konnte nicht bei jedem Schwa sicher geklärt werden, ob es sich um einen reduzierten Artikel handelt oder nicht. Im Zweifelsfall wurde das Schwa nicht als Artikel gezählt. In der darauffolgenden Phase, in der das Kind oft ein [a] vor ein Nomen stellte, ließ sich mit hoher Wahrscheinlichkeit sagen, dass das [a] die Funktion eines (unbestimmten) Artikels hatte.

Gegen Ende der Aufzeichnungen konnte zudem nicht mit Sicherheit bestimmt werden, ob ein reduzierter unbestimmter Artikel defizitär geprägt war, also ein vollständiger Artikel nicht artikuliert werden konnte, oder ob der Artikel eher umgangssprachlich reduziert wurde, wie dies auch die Bezugspersonen um das Kind herum öfter taten. Diese Unterscheidung zwischen defizitärer und umgangssprachlicher Reduktion des unbestimmten Artikels konnte deshalb für meine Fragestellung keine entscheidende Rolle spielen. Problematisch gestaltete sich auch die Interpretation anderer kindlicher Äußerungen, beispielsweise dem oft geäußerten *das* plus Nomen. Oft war *das* nicht als bestimmter Artikel zu einem Nomen zu werten, sondern als eine zusammengezogene Formel wie *das ist ein* plus Nomen.[22] Auch hier konnte nur bis zu einem gewissen Grad anhand Kontext und Entwicklungsstand des Kindes mit Sicherheit bestimmt werden, ob es sich um einen bestimmten Artikel mit Nomen handelt oder nicht. Mit einigen wenigen Fehlinterpretationen muss in dieser Arbeit also gerechnet werden. An dieser Stelle bleiben noch die restlichen Regelungen zur Zählweise der NPs zu nennen. Substantivisch gebrauchte Adjektive beispielsweise wurden dann wie ein Substantiv behandelt, wenn das Adjektiv mit einem Artikelwort oder Ähnlichem und klar erkennbarem Bezug zu dem entsprechenden Nomen stand.[23] Des Weiteren wurden Spontanbildungen, also Formen, die es so im deutschen Wortschatz nicht gibt, als normale Nomina behandelt, solange sie semantisch transpa-

---

[22] Vgl. dazu den Abschnitt 6.2.2 zu Schemata in dieser Arbeit.
[23] Z.B. *der Rote*, wenn davor von einem roten Stift die Rede war.

rent waren.[24] Wurde eine Äußerung nicht fertig artikuliert, eine NP war aber schon gefallen, so wurde diese NP gezählt.

Nachdem nun dargestellt ist, wie die Zahlen im folgenden Teil der Arbeit entstanden sind und sich zusammensetzen, können jetzt im nächsten Schritt die Beobachtung und die Diskussion einiger wichtiger Analysebeispiele der CHIL-DES-Daten angeschlossen werden. Dieser Abschnitt der Studie soll durch die Tabellen 3 und 4 eingeleitet werden, in denen die gemachten Beobachtungen mit entsprechenden Zahlen belegt werden. Auf der horizontalen Achse sind dabei alle untersuchten NP-Formen abgetragen, auf der vertikalen Achse finden sich die Altersstufen von ANN und FAL, zu denen Protokolle und somit Zahlen vorliegen. Ein Strich bedeutet, dass keine entsprechende Form beobachtet werden konnte. Eine Zahl gibt entsprechend an, wie oft das Kind etwa ein separates Nomen im Alter von 2;2 verwendet hat. Die gefettete Linie markiert dementsprechend den ungefähren Startpunkt der verschiedenen NP-Formen.[25]

---

[24] Z.B. *ein Mamahund* für weiblichen Hund mit Kind.
[25] Siehe die methodischen Einschränkungen oben.

Tabelle 3: Anzahl der verschiedenen NP-Bildungen in den einzelnen Protokollen von ANN

	1;4	1;5	1;6	1;8	1;9	1;10	2;0	2;1	2;2	2;3	2;5	2;6	2;7	2;9	2;10	3;0	3;1
unser + N.	–	–	–	–	–	–	–	–	–	–	–	–	–	–	–	–	1
viele + N.	–	–	–	–	–	–	–	–	–	–	–	–	–	–	2	–	1
drei + N.	–	–	–	–	–	–	–	–	–	–	–	–	1	–	–	–	–
Mehrgliedrige NP	–	–	–	–	–	–	–	–	–	1	–	1	–	1	–	–	4
alle + N.	–	–	–	–	–	–	–	–	–	1	1	–	–	–	–	–	3
ihr + N.	–	–	–	–	–	–	–	–	–	1	–	–	–	–	–	–	–
sein + N.	–	–	–	–	–	–	–	–	4	1	2	2	–	1	–	2	2
dein + N.	–	–	–	–	–	–	–	–	1	5	2	7	1	–	2	2	5
zwei + N.	–	–	–	–	–	–	–	1	1	–	1	1	1	–	–	–	3
mein + N.	–	–	–	–	–	33	22	9	–	11	5	2	7	13	10	4	14
kein + N.	–	–	–	–	–	2	1	2	4	3	1	2	–	2	3	6	2
Präposition + N.	–	–	–	–	–	1	2	3	1	1	4	3	4	9	4	2	6
Dreigliedrige NP	–	–	–	–	–	2	–	3	6	7	4	4	5	10	7	5	17
PP	–	–	–	–	1	1	6	7	13	13	19	33	17	35	25	16	39
Adjektiv + N.	–	–	–	–	3	5	–	–	–	–	5	1	1	–	–	–	3
anderer + N.	–	–	–	–	1	–	–	1	–	–	–	–	–	–	–	–	–
Unbestimmter Artikel + N.	–	–	–	–	16	18	49	20	14	33	33	21	29	20	32	31	67
Unklarer Artikel + N.	–	–	–	–	4	2	1	1	2	–	3	–	–	–	–	–	1
Spontanbildung	–	–	–	–	1	–	4	1	–	3	5	–	5	3	2	3	1
noch mehr + N.	–	–	–	15	7	3	–	–	–	–	–	–	–	–	–	–	–
mehr + N.	–	–	1	4	–	–	–	–	–	–	–	–	–	–	–	1	–
Bestimmter Artikel + N.	–	2	–	1	3	16	32	25	34	38	57	31	39	61	64	49	91
Separates N.	11	38	35	84	52	55	16	17	21	19	24	17	25	24	27	25	30
	1;4	1;5	1;6	1;8	1;9	1;10	2;0	2;1	2;2	2;3	2;5	2;6	2;7	2;9	2;10	3;0	3;1
Bildungen insgesamt	11	40	36	69	88	138	133	90	101	134	168	114	136	178	179	146	290

Tabelle 4:   Anzahl der verschiedenen NP-Bildungen in den einzelnen Protokollen von FAL

	1;4	1;5	1;6	1;8	1;9	1;10	2;0	2;1	2;3	2;4	2;5	2;6	2;8	2;9	2;10	3;0	3;1
euer + N.	–	–	–	–	–	–	–	–	–	–	–	–	–	–	–	–	1
drei + N.	–	–	–	–	–	–	–	–	–	–	–	–	–	–	2	1	–
Mehrgliedrige NP	–	–	–	–	–	–	–	–	–	–	–	–	–	1	2	1	2
zwei + N.	–	–	–	–	–	–	–	–	–	–	–	–	–	1	–	1	1
unser + N.	–	–	–	–	–	–	–	–	–	–	1	–	1	2	–	5	2
sein + N.	–	–	–	–	–	–	–	–	–	1	1	–	1	7	5	4	4
Präposition + N.	–	–	–	–	–	–	–	–	1	4	8	11	5	16	3	5	9
dein + N.	–	–	–	–	–	–	–	2	–	3	2	1	3	12	2	8	11
Dreigliedrige NP	–	–	–	–	–	–	1	2	2	10	12	14	16	17	21	27	30
kein + N.	–	–	–	–	–	–	2	6	5	12	9	11	7	19	6	2	13
alle + N.	–	–	–	–	–	–	1	–	2	–	4	1	–	–	2	4	5
mein + N	–	–	–	–	–	–	3	17	5	5	–	1	12	20	26	19	20
viele + N.	–	–	–	–	–	–	1	1	–	3	–	–	–	2	1	–	–
PP	–	–	–	–	–	3	1	1	3	14	15	36	29	35	41	52	75
Adjektiv + N.	–	–	–	–	–	3	3	14	1	4	2	5	2	6	6	6	1
anderer + N.	–	–	–	–	–	3	–	–	–	4	–	–	1	–	–	–	–
Bestimmter Artikel + N.	–	–	–	–	–	1	4	16	46	73	75	61	72	67	59	133	125
Unklarer Artikel + N.	–	–	–	–	–	1	3	1	2	2	2	1	1	2	1	4	2
Spontanbildung	–	–	–	–	–	2	5	10	2	5	8	10	13	7	25	8	59
mehr + N.	–	–	–	1	–	–	–	2	–	3	–	–	–	–	2	3	–
Unbestimmter Artikel + N.	–	–	6	–	3	9	20	22	28	54	45	25	25	59	70	35	103
Separates N.	–	1	3	23	28	71	76	61	60	24	44	38	12	20	36	27	68
Bildungen insgesamt	–	1	9	24	31	93	120	155	157	221	230	215	200	293	310	347	531

4. Diskussion von Analysebeispielen

4.1 Erwerbsreihenfolge der NP

Bei der Darstellung und Diskussion wichtiger Analysebeispiele wird – in puncto NP-Erwerbsreihenfolge – zuerst auf Gemeinsamkeiten und dann auf Unterschiede in der NP-Entwicklung der beiden CHILDES-Kinder eingegangen. In einigen Punkten ließ sich vergleichbares Datenmaterial von AL sichern, sodass auch ihre Entwicklung mit der von ANN und FAL verglichen werden kann. Mithilfe der Daten, die Tabelle 3 und 4 veranschaulichen, lassen sich bezüglich der gemeinsamen NP-Erwerbsreihenfolge folgende grundlegende Beobachtungen hervorheben:

Es scheint, dass beide Kinder die NP-Entwicklung mit separaten Nomen beginnen. FAL benutzt mit 1;5 gerade einmal ein separates Nomen, ANN mit 1;4 elf Stück. Der unbestimmte (ANN verwendet die ersten unbestimmten Artikel plus Nomen mit 1;9, FAL mit 1;6) bzw. der bestimmte Artikel (bei ANN tauchen die ersten Bildungen mit 1;5, bei FAL mit 1;10 auf) und die NP *mehr* plus Nomen (ANN bildet diese mit 1;6 zum ersten Mal, FAL mit 1;8) sind offenbar daneben die ersten realisierten NP-Formen: Bei beiden Kindern tauchen augenscheinlich neben dem unbestimmten und bestimmten Artikel plus Nomen die NPs Adjektiv plus Nomen, *anderer* plus Nomen sowie PPs in nur einem Entwicklungsschritt und Aufzeichnungszeitraum auf, bei ANN mit 1;9, bei FAL mit 1;10. In dem beobachteten Zeitraum treten von den deutschen Possessivpronomen offensichtlich erst *mein* plus Nomen (FAL produziert mit 2;0 drei Mal *mein* plus Nomen, ANN mit 1;10 ebenfalls drei Stück), dann *dein* plus Nomen (ANN bildet erste Formen mit 2;2, FAL mit 2;1) und später *sein* plus Nomen (bei ANN mit 2;2, bei FAL mit 2;4) auf. *Ihr* plus Nomen, *unser* plus Nomen und *euer* plus Nomen tauchen später oder bis 3;1 gar nicht auf. Außerdem ist bei ANN und FAL in Tabelle 3 und 4 augenfällig, dass die NPs *mein* plus Nomen, *kein* plus Nomen und dreigliedrige NPs zeitlich sehr nah beieinander zum ersten Mal in den Protokollen auftreten, nämlich bei ANN im Protokoll von 1;10, bei FAL mit 2;0.

Es sollen im Weiteren an dieser Stelle einige Beobachtungen detaillierter dargestellt, weitere Auffälligkeiten angemerkt und durchgängig mit Beispielen aus dem CHILDES- und Elsen-Korpus veranschaulicht werden.

Bei allen drei Kindern kann mit zunehmendem Alter eine fortschreitende Komplexität der NP-Bildungen beobachtet werden. Dies lässt sich an einigen Beispielen von ANN und FAL verdeutlichen:

ANN:

(1)

a) *Kuh* (1;4);

b) *ein/das Bobbycar* [naˈboːkʰə](1;10);

c) [n] *mehr Fahrrad* (1;10);

d) *keine Schuhe* [ˈzuːə] *an* (1;10);

e) *den toller Bagger* (1;10);

f) *ein liebe Spielzeug* [ˈbiːɪt͡sɔ̂yҟ] (2;3).

FAL:

(2)

a) *Elefant* [fantʰ] (1;8);

b) *ander Katze* [ˈanaˈratə] (1;10);

c) *ein Mensch is das* (2;0);

d) [də] *Stuhl* (2;0);

e) *große Elefant* [fantʰ] (2;0);

f) *kein Teil* (2;0);

g) *der große* [fantʰ] (2;3);

h) *der andere kleine* [ˈandəˈka͜inə] *Hund* (2;9);

i) *ein alter fetter Mensch* (2;10).

Und auch AL scheint eine vergleichbare Entwicklung hin zu komplexen NP-Strukturen zu durchlaufen:

AL

(3)

a) *Mama Buch* [mama ɓ] (0;11);

b) *Deckels da* [dɛʀ̩zda] (1;4);

c) *großer Tisch* (1;6);

d) *arme Blume* (1;6);

e) *ein langer Bus* (1;11);

f) *ein kleines Puzzle* (2;2).

Ein Überblick über die Komplexität und vielseitigen Kombinationen innerhalb der drei- und mehrgliedrigen NPs, die ANN und FAL in den Aufzeichnungen bilden, ist aus Gründen der besseren Übersicht im Anhang zu finden.

An dieser Stelle ist es auch bedeutsam, dass innerhalb einer Äußerung offensichtlich erst nur eine und später mehrere NPs realisiert werden. FAL realisiert mit 2;0 zum ersten Mal in den Mitschnitten Äußerungen mit zwei NPs, z.B.

(4)

a) *Kuh nich Stall geh'n*;

b) *Pferd Kuh mitnehm'n*;

c) *Müll kann Tiere*.

Die Nomina, die ohne direkten Begleiter stehen, sind dabei nicht miteinander verbunden. Nur einmal ist das entsprechende Verb flektiert. Mit 2;3 bildet FAL die Äußerung

(5) *die Maus kann die Schnecke nich essen*.

Beide NPs darin stehen mit dem bestimmten Artikel, und das Verb ist korrekt flektiert. Sogar die Negation kann FAL in dieser Äußerung korrekt realisieren. Von FAL mit 2;4 gebildet, zeigt das Beispiel

(6) *die Katze soll kein Mäuse fang'n*

deutlich die Weiterentwicklung der NPs innerhalb eines Satzes. Mit 3;1 schließlich hat der Ausbau der NP-Struktur mehrerer NPs innerhalb eines Satzes offenbar solche Fortschritte gemacht, dass FAL zu folgenden Bildungen in der Lage ist:

(7)

a)   *das vor die Bus steh, das is doch kein richtiges Auto;*

b)   *da kann man kleine Tiere mit fang'n, mit solchen Pfoten.*

Auch ANN zeigt eine ähnliche Entwicklung. Sie neigt mit 1;9 dazu, von sich selbst nicht mit dem Pronomen *ich*, sondern mit ihrem Eigennamen zu sprechen.[26] So kommt es zu diesem Zeitpunkt zu folgenden Äußerungen:

(8)

a)   *Anna Tee;*

b)   *Anna Birne;*

c)   *Anna nit Mama.*

Auch mit 1;10 bildet ihr eigener Name oft eine der beiden NPs, die sie in einem Satz realisieren kann, z.B. *Anna Brötchen essen.* Das Kind ist zu diesem Zeitpunkt bereits dazu in der Lage, immerhin vor ein Nomen der Äußerung einen Begleiter – hier den bestimmten Artikel – zu stellen. Mit 3;1 schließlich scheint ANN dazu befähigt, mehrere komplexe NPs in einem Satz zu realisieren:

(9)   *die andren klein Babylöwen, die ham zu den Papa „Nä nä" gerufen.*

Von AL aus dem Elsen-Korpus lässt sich zwar nicht genau sagen, wann sie mit der Realisierung mehrerer NPs in einem Satz beginnt, aber für sie ist mit 1;9 die Äußerung

(10)   *der Papa vergessen die Tablette*

belegt. Demnach wäre AL in ihrer Entwicklung den beiden CHILDES-Kindern zeitlich ein wenig voraus, da sie mit Ende 1;9 offenbar schon in der Lage ist, zwei NPs mit bestimmtem Artikel plus Nomen in einem Satz zu realisieren.

Die Daten lassen – die NP-Entwicklung der Kinder betreffend – eine weitere Beobachtung zu. An dieser Stelle kann mit einigen Beispielen illustriert werden, dass alle drei Kinder offenbar anfangs die späteren NP-Konstituenten separat ohne Nomen verwenden. In diesem Zusammenhang zeigt FAL mit 1;8 die sepa-

---

[26] Vgl. auch den Hinweis von Mills (1985: 181) auf dieses Phänomen: „The child is producing utterances with those forms at the same time as utterances using the proper names and third person for himself and addressee; Scupin's child, for example, was still regularly using his own name (Bubi) to refer to himself at the age of 2;8."

48

raten Konstituenten *meins*, *heiß* und *anderer*, verwendet *mein* plus Nomen aber erst mit 2;0 sowie Adjektiv plus Nomen und *anderer* plus Nomen mit 1;10. Mit 2;0 bildet FAL *deine* und *diese* (*auch*), realisiert die NP *dein* plus Nomen aber erst mit 2;1 sowie *dieser* plus Nomen mit 2;10. ANN zeigt, ebenso wie AL, eine dementsprechende Entwicklung, wie in Tabelle 5 deutlich wird:

Tabelle 5:   Separater Gebrauch von NP-Konstituenten und Verwendung in ersten NPs

Alter	Separater Gebrauch	Alter	Gebrauch in NP	Beispiel
			ANN	
1;4	*dies*	2;3	*dieser* plus Nomen	*mit dieser Rolle?*
1;4	*meiner*	1;10	*mein* plus Nomen	*meine Auto*
1;4	*die/das*	1;8/ 1;9	bestimmter Artikel plus Nomen	*Hasi de Katze*
1;5	*mehr*	1;8	*mehr* plus Nomen	*mehr Katze*
1;5	*kaputt*	1;9	Adjektiv plus Nomen	*anders Auto*
1;6	*noch mehr*	1;8	*noch mehr* plus Nomen	*no mehr Banan*
1;9	*viele*	2;10	*viel* plus Nomen	*da sin viele Sachen*
			AL	
1;2	*zwei*	1;5	*zwei* plus Nomen	*zwei Zehen* [baɪ deː]
1;6	*meins*	1;9	*mein* plus Nomen	*meine Dose* [maɪnə doːsə]
1;6	*anderer*	1;7	*anderer* plus Nomen	*andere Socke* [ˈañas zɔkə]

Außerdem konnte während der Datenanalyse beobachtet werden, dass alle drei Kinder zuerst reduzierte Artikel zu verwenden scheinen, bevor sie NPs mit vollständigen Konstituenten füllen können. ANN bildet mit 1;9 [nə] *Bagger*, FAL mit 2;3 [ə køːtə] und AL mit 1;6 [nɔχˈa fant]. Das belegen auch die Zahlen, die bezüglich des reduzierten Artikels in Tabelle 6 erhoben werden:

Tabelle 6:　　Anzahl der reduzierten Artikel

Reduzierte Artikel bei ANN		Reduzierte Artikel bei FAL	
Alter	Anzahl	Alter	Anzahl
1;5	1	1;6	2
1;9	21	1;10	11
1;10	19	2;0	9
2;0	7	2;1	5
2;1	11	2;3	17
2;2	18	2;4	16
2;3	17	2;5	10
2;5	12	2;6	5
2;6	3	2;8	3
2;7	4	2;9	10
2;9	6	2;10	5
2;10	4	3;0	6
3;0	4	3;1	3
3;1	8		
Reduzierte Artikel insgesamt;	**135**	**Reduzierte Artikel insgesamt;**	**102**
davon:		davon:	
Unbestimmter Artikel	**63**	**Unbestimmter Artikel**	**43**
Bestimmter Artikel	**30**	**Anderer Artikel**	**30**
Anderer Artikel	**27**	**Bestimmter Artikel**	**18**
Uneindeutiger Artikel	**15**	**Uneindeutiger Artikel**	**11**

Zur Analyse dieser Daten sei in aller Kürze angemerkt, dass keine regulären Amalgame (z.B. *am Essen sein*), keine Eigennamen mit reduziertem Artikel (z.B. [də] *Claudia*) und keine Pseudowörter (z.B. [ən knuːˈbʊsiː]) gezählt wurden. Umgangssprachlich reduzierte Artikel (z.B. [nə] *Katze*) wurden so lange zu aus Kapazitätsgründen reduzierten Artikeln gezählt, wie davon ausgegangen werden konnte, dass das Kind aufgrund der bereits weiter oben angesprochenen unausgereiften Verarbeitungskapazität im neuronalen Netzwerk noch nicht in der Lage war, vollständige Artikel zu bilden. Die zu diesem Zeitpunkt der Entwicklung zur Verfügung stehende Verarbeitungsenergie fließt dabei scheinbar in die Realisierung anderer Aufgabenbereiche, und es bleibt kaum Kapazität für die zielsprachliche Artikulation der NP-Konstituenten übrig. Die Klassifikation in „aus Kapazitätsgründen reduzierte Artikel" und „umgangssprachlich reduzierte Artikel" gestaltete sich zugegebenermaßen schwierig, wurde aber durch den Kontext und die daraus grob einschätzbaren Fähigkeiten erleichtert. Außerdem wurden komplexe NPs mit reduziertem Artikel gezählt, semantisch transparente Spontanbildungen mit reduziertem Artikel und alle anderen NPs mit reduziertem Artikel, die auch in Punkt 3.2 der Arbeit mit in die Analyse eingeschlossen wurden. In der Rubrik „Andere Artikel" wurden die NPs *mein*, *dein*, Kardinalia, *anderer*, *welcher* und *unser* plus Nomen zusammengenommen. Von AL liegen zwar keine entsprechenden *Token*-Zahlen vor, aber die folgenden Beispiele zeigen dennoch eine Tendenz zu einer solchen Entwicklung auf:

(11)

a)   *die* [də] *Puppe suchen; noch ein Elefant* [afantʰ] (1;6);

b)   *wo's die* [də] *Katze* (1;7);

c)   *eine Weste* (1;8);

d)   *Zitrone* [ˈtroːnə] *noch eine Zitrone* [ˈtroːnə] (1;9).[27]

Aufgrund der Interaktion sprachlicher Aufgabenbereiche, die in den Punkten 4.2, 5.2 und 6.2 näher erläutert werden soll, werden aber nicht nur NP-Konstituenten vor dem Nomen reduziert, sondern auch das Nomen selbst kann oft nicht vollständig artikuliert werden. Auffällig ist, dass sowohl FAL als auch ANN ein Lexem augenfällig nach demselben Prinzip[28] zu reduzieren scheinen, z.B.

(12)

a)   Gi<u>raffe</u>-[ˈrafə] (FAL 1;10);

b)   <u>an</u>derer-[ˈana] (FAL 1;10 und ANN 2;1);

c)   al<u>leine</u>-[ˈlain͡ə] (ANN 1;8);

d)   Ele<u>fant</u>-[fantʰ]/[ˈeːfa] (FAL 1;6 und ANN 1;8).

Eine weitere Ähnlichkeit lässt sich in der Entwicklung der Genus- und Kasuszuordnung beobachten. Für einen Zeitraum, bei dem von einem recht hohen Entwicklungsstand des NP-Erwerbs ausgegangen werden kann – zwischen 2;7 und 3;1 – wurde im Rahmen der vorliegenden Untersuchung die Häufigkeit von Kasus- und Genusfehlern in zwei- und mehrgliedrigen NPs detailliert analysiert. Dieser Zeitraum scheint deshalb dazu geeignet, die Zahl der Kasus- und Genusfehler zu erheben, da vor 2;7 nur selten Kasus- und Genusmarkierungen in den

---

[27] Zu Variation von reduzierten und vollständigen Artikeln siehe Punkt 6.2.1 der Untersuchung.

[28] Das Prinzip, das hinter diesen Reduktionen zu stehen scheint, setzt voraus, dass das bessere Behalten von betonten Silben (siehe unterstrichene Silben der Beispiele) der Grund für die typischen Reduktionen ist. In der netzwerktheoretischen Einordnung dieser Beobachtung wird noch auf die *Operating-Principles* von Slobin eingegangen werden (Punkt 6.1).

NPs beobachtet werden konnten. Aufgrund der schwierigen, teils unmöglichen Differenzierung zwischen Genus- und Kasusfehlern sind in dieser Studie beide Kategorien nicht getrennt voneinander aufgeführt.[29] Generell kann bei den Zahlen zu Genus- und Kasusfehlern davon ausgegangen werden, dass es sich bei den Genusfehlern um die geringere Anzahl handelt: „It has been demonstrated that German children in general make few errors in gender when they produce a gender-marked form" (Mills 1986: 85). Die Analyseregeln, die bei der Zählung beachtet wurden, sind in Punkt 3.2 der Arbeit bereits dargelegt worden. Da Kasusmarkierungen und entsprechende Fehler ebenfalls Einfluss auf die NP-Entwicklung nehmen und für ein umfassendes Bild ebendieser unabdingbar, aber nicht der Hauptgegenstand vorliegender Untersuchung sind, soll an dieser Stelle mit Tabelle 7 und 8 lediglich ein Überblick über die aufgetretenen Genus- und Kasusfehler gegeben werden.

Tabelle 7:   Genus- und Kasusfehler bei ANN zwischen 2;7 und 3;1

Genus- und Kasusfehler			
Alter	Zweigliedrige NPs	Mehrgliedrige NPs	Fehlerzahl insgesamt
2;7	17	1	18
2;9	19	4	23
2;10	13	–	13
3;0	16	–	16
3;1	25	4	29
Fehlerzahl insgesamt	90	9	99

Tabelle 8:   Genus- und Kasusfehler bei FAL zwischen 2;8 und 3;1

Genus- und Kasusfehler			
Alter	Zweigliedrige NPs	Mehrgliedrige NPs	Fehlerzahl insgesamt
2;8	10	4	14
2;9	17	4	21
2;10	32	9	41
3;0	26	6	32
3;1	30	4	34
Fehlerzahl insgesamt	115	27	142

Die Tabellen 7 und 8 zeigen, wie viele Genus- und Kasusfehler sich bei den CHILDES-Kindern im relevanten Zeitraum von 2;7 bzw. 2;8 bis zum Ende der Aufzeichnungen beobachten ließen. Beide Kinder machen in zweigliedrigen NPs augenscheinlich mehr Fehler als in NPs mit mehr als zwei Konstituenten.

---

[29] Auch Mills berichtet in diesem Zusammenhang von diesem Problem der Trennung von Genus- und Kasusfehlern: „Gender cannot be separated from case. An error in case may not necessariliy imply an error in gender, but it is often impossible to distinguish one from the other" (Mills 1986: 64).

Anhand der Zahlen lässt sich auch beobachten, dass mit zunehmendem Alter die Zahl der gemachten Fehler nicht unbedingt abnimmt. Im Gegenteil: ANN macht mit 3;1 so viele Fehler wie noch nie im untersuchten Zeitraum. Einen weiteren Höhepunkt zeigen die Fehlerzahlen bei ANN mit 2;9. Bei FAL liegt das absolute Maximum der erhobenen Zahlen bei 2;10 mit 41 Fehlern. Auch mit 3;1 begeht FAL 34 Kasus- und Genusfehler. Zur Art der Fehler bleibt Tabelle 9 vorzustellen, die die verschiedenen Fehlerarten bei ANN und FAL veranschaulicht.

Tabelle 9: Verschiedene Fehlerarten mit Beispielen[30]

Fehlerart	Beispiel ANN	Alter	Beispiel FAL	Alter
Genusfehler	*musst aber die Haus da drauf*	2;3	*die soll'n das Mund aufmass'n*	2;5
n-/m-Confusion[31]; Akkusativübergeneralisierung[32]	*mit den Saab; mit den Haus spielen*	2;10	*was mit den alten Gockel noch geht*	2;10
Nominativübergeneralisierung	*mit mein Auto; Mann hat ein Kinderwagen*	2;10	*mit ein Hut; der Film hab ich gesehen*	2;10 / 3;1
Fehlende Kongruenz	*n schön Spiel*	2;7	*hat kein Augen hier*	2;9

Mit 3;1 scheinen FAL und ANN die zielsprachliche Struktur der verschiedenen NP-Formen im Grunde erworben zu haben. Probleme tauchen allerdings noch auf bei der Symbolisierung der Kasuseigenschaften der Nomina – speziell bei Dativ und Genitiv – sowie bei der Symbolisierung der Kongruenzrelationen innerhalb der NP hinsichtlich Genus und Kasus.

Nun stellt sich im Anschluss an diese Beobachtungen die Frage, in welchen Punkten und – daran anschließend – weshalb sich die NP-Entwicklung von FAL und ANN unterscheidet.

Erste Auffälligkeiten betreffen ANNs frühen Beginn mit dem NP-Erwerb und ihren Vorsprung, im Rahmen dessen auch viele weitere Entwicklungsschritte bei

---

[30] Zu Fehlern bezüglich der Kasus- und Genuszuordnung bei AL kann an dieser Stelle nichts gesagt werden.

[31] Der Begriff *n-/m-Confusion* erklärt einen Fehler damit, dass das Kind noch nicht in der Lage ist, die ähnliche phonologische Gestalt von *n* und *m* zu unterscheiden. Parallel dazu wird hier aber auch der Ausdruck Akkusativübergeneralisierung verwendet, der das Phänomen eher von der syntaktischen Seite begreift und von einer „Überdehnung" des Akkusativs auf Dativkontexte als Fehlerursache ausgeht.

[32] Eine (morphologische) Übergeneralisierung ist nach Linke/Nussbaumer/Portmann definiert als: „Anwendung von an sich richtigen Regeln auf Bereiche, auf die man sie nicht anwenden darf. Dazu gehören etwa Bildungen vom Typus *singte* statt *sang*" (Linke/Nussbaumer/Portmann 1996: 93).

ANN offenbar etwas früher als bei FAL erfolgen. Dies veranschaulichen die bereits vorgestellten Tabellen 3 und 4 besonders deutlich. ANN bildet in dem Protokoll, das von ihrer sprachlichen Interaktion mit 1;4 erstellt wurde, bereits elf spontane separate Nomina. Mit 1;5 sind es schon 38 sowie zwei NPs in Form von bestimmtem Artikel plus Nomen. Im nächsten Aufzeichnungsmitschnitt realisiert sie eine NP in Form von *mehr* plus Nomen. Diese Tendenz gipfelt mit 1;8 in 15 NPs der Form *noch mehr* plus Nomen und vier NPs mit *mehr* plus Nomen. FAL dagegen bildet bis zu dem Protokoll, das seine sprachliche Interaktion mit 1;6 zeigt, nur vier separate Nomina und sechs NPs in der Form unbestimmter Artikel plus Nomen. Mit 1;4 zeigt sich noch keine Form von spontaner NP. Dies könnte zwar daran liegen, dass die ersten Protokolle von FAL sehr kurz geworden sind, also beispielsweise nur 60 anstatt sonst 120 Minuten aufgezeichnet sind. Aber da sich die Verzögerung FALs auch in seiner weiteren Entwicklung verdeutlicht, kann dieser methodische Nachteil vernachlässigt werden. Einen ersten größeren Entwicklungsschritt stellt in diesem Sinne bei beiden Kindern, wie schon oben angedeutet, der fast parallele Erwerb der NPs bestimmter/unbestimmter Artikel plus Nomen, Adjektiv plus Nomen, *anderer* plus Nomen sowie die Verwendung einer PP innerhalb nur eines Aufzeichnungsprotokolls dar. FAL zeigt diesen Schritt mit 1;10, ANN hingegen bereits mit 1;9. FAL erwirbt des Weiteren *kein* plus Nomen mit 2;0, während ANN die gleiche NP bereits in der Aufzeichnung von 1;10 zeigt. *Sein* plus Nomen benutzt FAL erstmals in dem Protokoll von 2;4, ANN hingegen in dem von 2;2.

Diagramm 1: Anzahl der verschiedenen NP-Formen, die ANN und FAL mit 1;10 bilden

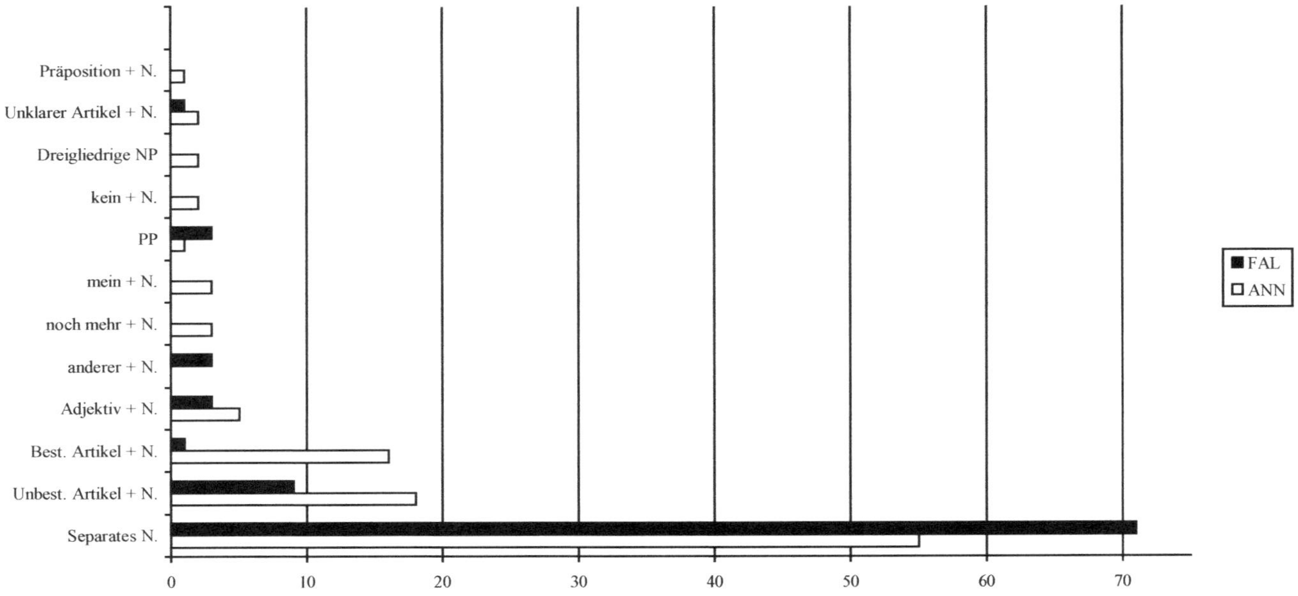

Legende:
- FAL (schwarz)
- ANN (weiß)

Kategorien (von oben nach unten):
Präposition + N.
Unklarer Artikel + N.
Dreigliedrige NP
kein + N.
PP
mein + N.
noch mehr + N.
anderer + N.
Adjektiv + N.
Best. Artikel + N.
Unbest. Artikel + N.
Separates N.

Skala: 0 10 20 30 40 50 60 70

Diagramm 2: Anzahl der verschiedenen NP-Formen, die ANN und FAL mit 2;0 bilden

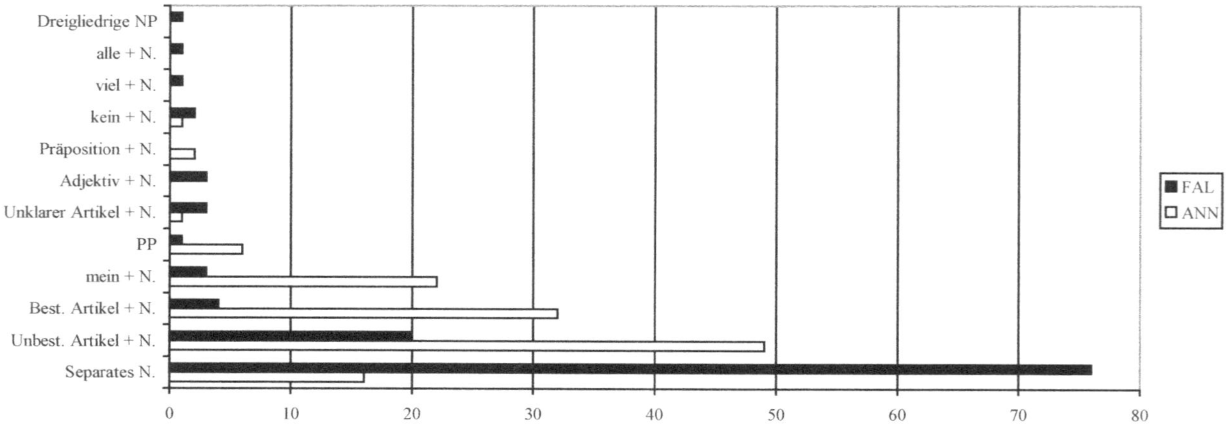

Diagramm 3: Anzahl der verschiedenen NP-Formen, die ANN und FAL mit 3:1 bilden

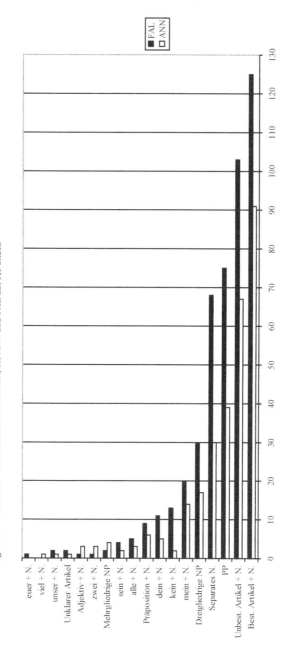

Die Diagramme 1 bis 3 fassen die folgenden Beobachtungen zum unterschiedlichen NP-Erwerb von ANN und FAL visuell zusammen. Bis zum Protokoll im Alter von 1;10 scheint ANN in zweierlei Hinsicht in ihrer Entwicklung vor FAL zu liegen: Sie bildet mehr oder mindestens gleich viele *Tokens* der verschiedenen NP-Formen, und sie verwendet mehr verschiedene NP-Arten als FAL. Mit 2;0 beginnt sich dieses Verhältnis umzudrehen. Es lässt sich anschaulich beobachten (Diagramme 1 und 2), womit FAL seinen NP-Erwerb beginnt und wie er diese NP-Formen nach und nach quantitativ ausbaut sowie andere NP-Formen dazu erwirbt (vgl. auch Tabelle 4). Mit 2;0 (Diagramm 2) werden im Gebrauch beider Kinder zehn verschiedene NP-Formen gezählt, wobei zwar ANN von sechs dieser zehn mehr *Tokens* bildet, aber FAL drei NP-Formen verwendet, die ANN überhaupt nicht äußert. Diese Auffälligkeit scheint auch in den folgenden Protokollen zu bestehen. Mit 3;0 werden 17 verschiedene NP-Formen von den Kindern verwendet. FAL bildet dabei nicht nur mehr *Tokens* der einzelnen Formen, sondern auch mehr verschiedene NP-Formen als ANN. Diagramm 3 zeigt den abschließenden Stand des Verhältnisses zwischen ANN und FAL mit 3;1.

Aber auch einige geringfügigere Unterschiede in der chronologischen Erwerbsreihenfolge der NP lassen sich beobachten. FAL verwendet, abweichend von seinem sonstigen Hinterherhinken in der NP-Entwicklung gegenüber ANN, die NPs *unser* plus Nomen sowie *viele* und *alle* plus Nomen offensichtlich viel häufiger und früher als ANN. *Euer* plus Nomen realisiert FAL mit 3;1 erstmals in den Protokollen, ANN hat diese NP noch gar nicht gebildet. Doch auch bei FAL gibt es eine NP-Form, die er während der gesamten Aufzeichnung scheinbar nicht benutzt: *ihr* plus Nomen, das von ANN im Protokoll von 2;5 einmalig realisiert wird. ANNs frühe Realisierungen des bestimmten Artikels mit einem Nomen werden noch ergänzt durch ihre Vorliebe für den separaten Gebrauch des bestimmten Artikels vor jeglicher Form eines begleiteten Nomens. FAL zeigt diese Präferenz nicht. Tabelle 6 fasst bezüglich reduzierter Artikel folgende Beobachtungen zusammen: ANN reduziert scheinbar eine sehr hohe Anzahl von Artikeln in ihren NPs, obwohl in den Tabellen 3 und 4 abzulesen ist, dass FAL weit mehr *Tokens* realisiert als ANN. Auch in den einzelnen Rubriken verschiedener reduzierter Artikel zeigen sich Unterschiede. Beide vereinfachen zwar offenbar sehr häufig den unbestimmten Artikel und eher selten diejenigen Artikel, die keiner der bestehenden Kategorien zugeordnet werden können. Aber ANN reduziert außerdem sehr oft den bestimmten Artikel, während FAL gern Artikel aus der Rubrik „Andere Artikel" vereinfacht. Auch die Verteilung der Zahlen auf die verschiedenen Aufzeichnungszeitpunkte birgt nicht nur Gemeinsames, sondern auch Unterschiede. FALs Entwicklung zeigt dabei augenscheinlich größere Schwankungen. Mit 2;3 reduziert er sehr viele Artikel und erst mit 3;0 und 3;1 zeigen die Zahlen eine deutliche Abnahme der Reduzierungen. ANNs Zahlen hingegen lassen eine deutlichere Abnahme schon ab 2;3 vermuten. Die meisten Artikel reduziert sie offensichtlich mit 1;9; nach einem Höhepunkt der Zahlen mit 2;2 nehmen die reduzierten Artikel fast kontinuierlich bis zum Ende der Beobachtungen ab.

Die zur Verfügung stehenden Daten lassen zu Kasus- und Genusfehlern, neben den oben beschriebenen Gemeinsamkeiten, augenfällige Unterschiede zwischen den Kindern beobachten. FAL macht, wie auch aus Tabellen 7 und 8 ersichtlich wird, um einiges mehr Fehler dieser Art als ANN. Des Weiteren wird deutlich, dass ANN scheinbar viel weniger Kasus- und Genusfehler in mehrgliedrigen als in zweigliedrigen NPs unterlaufen. Bei FAL verhält es sich zwar in dieser Hinsicht ähnlich, doch das Zahlenverhältnis zwischen Fehlern in beiden NP-Gruppen fällt bei ANN um einiges drastischer aus.

Vor allem der Erwerb des bestimmten und unbestimmten Artikels plus Nomen jedoch scheint sich bei ANN und FAL recht unterschiedlich zu gestalten. ANN benutzt bis zu dem Protokoll, das mit 1;9 von ihrer sprachlichen Interaktion erstellt wurde, drei NPs in Form des bestimmten Artikels plus Nomen und keine mit dem unbestimmten Artikel. Ab 1;9 dann scheint der Erwerb beider Artikel fast parallel vor sich zu gehen. Bis 2;1 verwendet ANN mehr unbestimmte Artikel plus Nomen, ab diesem Zeitpunkt dreht sich das Verhältnis aber um zugunsten des bestimmten Artikels plus Nomen. FAL dagegen beginnt im Alter von 1;6 mit dem Erwerb des unbestimmten Artikels plus Nomen. Mit 1;10 dann, FAL bildet in dieser Aufzeichnung neun unbestimmte Artikel plus Nomen, realisiert das Kind erstmals in den Protokollen eine NP in Form des bestimmten Artikels plus Nomen. Bei ihm dreht sich das anfängliche Verhältnis im Alter von 2;3 zugunsten des bestimmten Artikels plus Nomen um.

Hier sind nun die Beobachtungen bezüglich der chronologischen Erwerbsreihenfolge der NP beschrieben worden. Es stellt sich an dieser Stelle allerdings noch die Frage, ob und in welcher Form bei der Datenanalyse Beobachtungen gemacht werden konnten, die Schlussfolgerungen bezüglich der Interaktion sprachlicher Aufgabenbereiche zulassen.

4.2 Complexity/Fluency Trade Off und NP-Schemata

4.2.1 ANN

ANN artikuliert zu Beginn der Aufzeichnungen im Alter von 1;4 einfache Worte und vermeidet die schwierig zu artikulierenden Ausdrücke. Andere sprachliche Aufgabenbereiche sind zu diesem Zeitpunkt noch kaum aktiv. Häufig sind im Alter von 1;4 Einwortäußerungen wie separate Nomina und separat gebrauchte Artikelwörter zu beobachten, z.B. *Kuh, dies, meiner*.

In der folgenden Aufzeichnung versucht sich ANN bereits an etwas anspruchsvollerer Artikulation und probiert, *Katze* [ˈkakə]/[kat] und *Igel* [ˈa͡ivːɪ] zu produzieren. Der Aufgabenbereich der NP-Struktur scheint nun langsam aktiviert zu werden, denn es kommt zur Bildung der NP bestimmter Artikel plus Nomen in Form von *der Apfel* [dəˈapʰə]. Im Bereich der Flexion benutzt ANN nur Verben in reduzierter Form ohne Endungen, z.B. *Auto fahr*. Flexion im Sinne von Kasus und Genus ist in keinem Fall realisiert. Es kann allerdings verzeichnet werden, dass der Satzbau langsam komplexer wird.

Anhand der nächsten Aufzeichnung, die von ANN im Alter von 1;6 aufgenommen wurde, lässt sich zeigen, dass der Entwicklungsstand des Vormonats erst einmal zu stagnieren scheint. Die wenigen verwendeten Verben stehen fast immer im Infinitiv, einmal bildet ANN allerdings *der kann* und *das geht nicht* [təˈdeːtʰ]. Sie äußert in diesem Alter Ein- und Zweiwortsätze in Form von komplexen Verben, *da* plus Nomen, Nomen plus Nomen[33], Pronomen plus Verb, *mehr* plus Nomen, *das da* und *da die*. Mit 1;6 beginnt ANN, zwei starr wirkende Formen[34] zu benutzen. Verwendet sie *da* anfangs immer nur in Zusammenhang

---

[33] Eines davon muss allerdings als imitiert betrachtet werden.

[34] Die hier für dieses Phänomen verwendeten Begriffe sollen Neutralität ausdrücken, da es hier zunächst um eine deskriptive Darstellung der Beobachtungen gehen soll. Die Begriffe werden in Punkt 5.2 und 6.2 der Arbeit durch entsprechende Fachbegriffe ersetzt und erklärt.

mit *Katze* bzw. *Kater*, fällt es kurze Zeit später auch in Zusammenhang mit anderen Nomina, nämlich *da Ball* und *da Beine*. Auch die Äußerung *mehr Brille* findet sich in dieser Aufzeichnung – diese bildet den Beginn einer deutlichen Entwicklung der fixen Formen in den nächsten Monaten. Die Realisierung anderer sprachlicher Aufgabenbereiche kann in diesem Alter noch nicht beobachtet werden.

Parallel zu der angedeuteten Entwicklung dieser Formeln, die im Folgenden mit 1;8 drastisch an Gewicht zunehmen, entwickelt sich nun im Zusammenhang damit auch der Bereich der Artikulation scheinbar weiter. ANN produziert dabei artikulatorisch anspruchsvollere Nomina:

(13)

a)   *mehr Paket* [meːɐˈkeːtʰ];

b)   *mehr Fisch* [meːɐˈpʰətə];

c)   *noch* [nɔ] *mehr Knochen.*

Innerhalb früherer Aufzeichnungen produzierte ANN *Katze* als [ˈkɑkə] oder [kɑt]. Aber auch die Kombination *da* plus Nomen tritt mit 1;8 weiterhin auf, und zwar in Form von *da Tiger* und *da Hund*. Ansonsten produziert ANN mit 1;8 viele kurze Zweiwortäußerungen und macht parallel dazu Fortschritte in der Flexion. Sie bildet die dritte Person Singular einiger Verben wie *geht nicht* [kəˈtʰɪtʰ], benutzt oft Infinitive, bei denen allerdings meist das *n* der Endung fehlt, und realisiert die ersten Nomina im Plural, z.B. [ˈɑntɑːs], [ˈpʰətə], [ˈhʏnɑ]. Der Entwicklungsstand der NP scheint sich seit der letzten Aufzeichnung – abgesehen von der quantitativen Zunahme der starren Formen mit [nɔ] *mehr* oder *da* – nicht bemerkenswert verändert zu haben. ANN bildet nur einmal eine NP in der Form bestimmter Artikel plus Nomen.

Mit der Aufzeichnung ANNs sprachlicher Fähigkeiten im Alter von 1;9 lässt sich dann allerdings eine drastische Entwicklung der NP belegen. Während der Aufzeichnung produziert sie drei NPs in Form von bestimmtem Artikel plus Nomen, 16 mal den unbestimmten Artikel plus Nomen, einmal *anderer* plus Nomen, drei NPs in Form von Adjektiv plus Nomen und eine PP. Dabei benutzt ANN vermehrt reduzierte oder sogar uneindeutige Artikel, z.B. Artikel plus

Flugzeug [hə'lʊpsɑtʰ]. Etwas seltener als im Vormonat, aber immerhin noch sieben Mal bildet ANN die fixen Formen *noch* [nɔ] *mehr* plus Nomen, z.B. *noch mehr Karussell* [nɔ'meːɐ'zɛl]. Aber auch die Kombination von *da* oder jetzt auch *das* plus Nomen taucht auf und bringt eine anspruchsvollere Artikulation des Nomens mit sich, z.B. *da/s Schaukel.* Im Aufgabenbereich des Satzbaus bildet sich schon zu diesem Zeitpunkt die Tendenz heraus, dass bei längeren Äußerungen wie *Anna das Auto tankt* Priorität auf die Struktur der NP gelegt wird, dafür aber auch einfach zu artikulieren Nomina und Verben verwendet werden. Auch bei dem mit 1;9 geäußerten *da nackte Füße* ['daːnɑs'fiːsə] wird deutlich, dass die Struktur der NP, hier in der neu erworbenen Form Adjektiv plus Nomen, den Schwerpunkt unter den sprachlichen Aufgabenbereichen darstellt, der Satzbau dafür aber auch einfach sein muss, es zwischen Adjektiv und Nomen keine Kongruenz gibt und die Artikulation stark vereinfacht ist.

Im Alter von 1;10 dann baut ANN die Vielfalt der von ihr gebrauchten NP-Formen weiterhin aus. Neben den NP-Formen, die schon im Vormonat bei ihr beobachtet werden konnten, produziert das Kind nun auch NPs in Form von Präposition plus Nomen, *kein* plus Nomen und *mein* plus Nomen. Herausragend an dieser Aufzeichnung ist des Weiteren die Tatsache, dass ANN zu diesem Zeitpunkt beginnt, dreigliedrige NPs zu bilden. Wie sich an der Bildung *den toller Bagger* eindeutig zeigen lässt, ist zwar eine NP-Struktur realisiert, doch ANN kann noch keine Kongruenz in der Flexion zwischen den einzelnen NP-Konstituenten herstellen. ANN bildet beispielsweise außerdem

(14)

a)   *ein/das Spielzeug* [nɑ'biːt͡sɔld];

b)   *ein/das Bobbycar* [nɑ'boːkʰə].

Der sprachliche Aufgabenbereich der NP-Struktur scheint also hier im Vordergrund zu stehen, wobei eingeschränkte Artikulation und uneindeutige oder reduzierte Artikel in Kauf genommen werden. Auch die dritte Person Singular der Verben scheint immer öfter benutzt zu werden:

(15) *Anna hallo macht.*

Die Konstruktion dieser Äußerung legt aber noch eine andere Vermutung nahe. Der analoge, feste Aufbau der Bildungen in Form von *Anna* plus Nomen plus Verb in der dritten Person Singular lässt annehmen, dass es sich dabei um eine funktionsmäßig ähnliche fixe Formulierung handelt wie bei den vorher beobachteten Kombinationen von *noch* [nɔ] *mehr* plus Nomen oder *da/das* plus Nomen. Auch diese Kombinationen treten weiterhin auf. So bildet das Kind zu diesem Aufzeichnungszeitpunkt beispielsweise *da Kamera* [da kamərˈɑːt]. Beide Kombinationen, sowohl *da* also auch *das* plus Nomen, könnten dabei eine ähnliche Funktion erfüllen, weshalb *das* plus Nomen in diesen Fällen kaum als NP-Struktur in Form von bestimmter Artikel plus Nomen zu verstehen sein dürfte. Die starre Form [nɔ] *mehr* plus Nomen fällt in dieser Aufzeichnung nur noch dreimal, wie in [nɔ] *mehr Babys*, zeigt also durchaus teilweise eine Pluralmarkierung und eine artikulatorisch anspruchsvolle Realisierung des Nomens. Abschließend bleibt zu den Aufzeichnungen von 1;10 noch zu erwähnen, dass ANN zu diesem Zeitpunkt erstmals in den Protokollen Pseudowörter wie *Pintalla* und *Gont* bildet und somit mit dem Ausbau des Lexikons und auch des Bereichs der Wortbildung begonnen hat.

Mit 2;0, ungefähr fünf Wochen später, hat die Vielfalt an NP-Formen in ANNs Gebrauch nicht zugenommen. Sie hat keine neuen NP-Formen erworben, bildet aber zu diesem Zeitpunkt deutlich mehr NPs in Form von bestimmtem und unbestimmtem Artikel plus Nomen als bei der letzten Aufzeichnung. ANN zeigt in diesem Protokoll Genusfehler, z.B.

(16)

a)   *die Kaffee*;

b)   *guck mal, meine Stuhl* [tuːl].

Aber auch Kasusfehler, z.B. in Form einer Nominativübergeneralisierung wie *ich will mein Korb*, treten auf. ANN benutzt im Bereich der Flexion noch immer oft Infinitive, aber auch die dritte Person Singular der Verben. Das Partizip Perfekt wird von ANN noch nicht korrekt gebildet, aber es gibt deutlich mehr Versuche einer Realisierung, z.B. *nein, ham mein Tasche gesteckt* [tɛkʰtʰ]. Zu diesem Zeitpunkt bildet das Kind auch zunehmend Pluralformen einiger Substantive. Nach wie vor scheint ANN die Realisierung der NP-Struktur zu priorisieren, auch wenn darunter offenbar die Artikulation der Nomina und die Vollständigkeit der Artikel leiden, beispielsweise

(17)

a) *ein Strohhalm* [ˈeːnəˈmɑːnə];

b) *mein Löffel* [miˈlœfə].

Außerdem bildet ANN auch mit 2;0 etliche Pseudowörter und beginnt scheinbar verstärkt mit der Wortbildung in Form von Komposita und sogar Derivaten, z.B. *Tankewage* und *Tanker*. Auch semantisch transparente Spontanbildungen, wie *Apfelwasser* für den Begriff *Apfelsaft*, kommen zum Einsatz und zeigen ANNs Kommunikationsbedürfnis, das sie eigene Bildungen für gerade nicht abrufbare oder unzugängliche Wörter produzieren lässt. Außerdem kann an dieser Stelle noch auf eine auffällige topologische Unkoordiniertheit in Zusammenhang mit Abfolge und Kombination verschiedener NP-Konstituenten innerhalb einer NP verwiesen werden, z.B. *die neue meine Schuhe*. Zudem sollte man an dieser Stelle noch auf die deutliche Weiterentwicklung der eingangs beobachteten starren Formulierungen hinweisen. Zwar lässt sich die Kombination in Form von [nɔ] *mehr* plus Nomen im Alter von 2;0 bei ANN nicht mehr beobachten, doch kann bezüglich der Form *da/das* (plus *auch*) plus Nomen, wie sie im Vormonat bereits gefunden wurde, ein deutlicher Fortschritt festgestellt werden. Das Kind setzt nun vor das Nomen, das bisher in diesem Zusammenhang ohne direkten Begleiter aufgetreten war, häufig einen unbestimmten oder Possessivartikel in Form von *mein*. Den unbestimmten Artikel verwendet ANN oft auch in Kombination mit *auch* oder *noch*, dies ließ sich beim Possessivartikel *mein* nicht beobachten, z.B.

(18)

a) *das ein Hammer*;

b) *das auch ein Hund*;

c) *da noch ein Bein*.

Auffällig dabei ist auch die gute Artikulation der in dieser formelhaften Äußerung benutzten Nomina. Die Entwicklung solcher Kombinationen zeigt aber pa-

rallel dazu auch scheinbare Rückschritte oder zumindest Stagnation, betrachtet man Äußerungen ANNs wie *das auch Kopf,* in denen das Nomen ohne direkten Begleiter steht. Der bestimmte Artikel kann in solch einer Formel gar nicht gefunden werden, tritt aber dafür im Zusammenhang mit einem anderen zu diesem Zeitpunkt in den Protokollen auftauchenden Phänomen auf. Dabei handelt es sich um die Entwicklung der *Wo*-Frage, z.B.

(19)

a)   *wo denn noch ein Puzzle?*

b)   *wo die meine Puppe?*

Bei der nächsten Aufzeichnung, ANN ist jetzt 2;1 alt, beginnt das Kind in der *Wo*-Frage immer häufiger das fehlende *ist* zu realisieren, z.B.

(20)

a)   *wo ist der Bobbycar?* [ˈbɔkiːkaː?];

b)   *wo ist meine Flasche?* [voːˈɪtmaĩˈflaːsə?].

Bemerkenswert hieran ist, dass ANN schwierig zu artikulierende Worte in Kombination mit der *Wo*-Frage scheinbar zielsprachlicher artikulieren kann. Doch auch hier gibt es offenbar Stagnation oder sogar Rückschritte, bzw. die Realisierung der Frage mit *ist* scheint mit der korrekten Artikulation des Nomens und der Vollständigkeit des Artikels nicht vereinbar zu sein, denn ANN artikuliert das Nomen *Flasche* zeitgleich korrekt, z.B. in *wo die Flasche?*, und bildet die *Wo*-Frage auch zu diesem Zeitpunkt hin und wieder noch ohne Verb. Auch die Formulierung *das/da* plus Nomen erfährt zu diesem Zeitpunkt eine Erweiterung. ANN bildet sie nun mit einer dreigliedrigen NP, aber noch ohne das fehlende *ist*, z.B.

(21)   *und das ein großes Karussell* [ˈɡroːtəs sal].

Erwähnt werden sollte in diesem Zusammenhang auch die Formel *noch* plus unbestimmter Artikel plus Nomen, die ANN in Form von *noch ein Schuhe* bildet. Gemeinsam ist allen diesen starr wirkenden Formen, dass sie ganz offenbar häufig einhergehen mit einer verbesserten oder anspruchsvolleren Artikulation der Nomina, mit denen sie stehen. In Bezug auf die Entwicklung der NP lässt sich zum Alter 2;1 festhalten, dass die Verwendung von bestimmtem und unbestimmtem Artikel plus Nomen quantitativ rückläufig zu sein scheint und es außer der NP *zwei* plus Nomen keine Neuerungen bezüglich der Vielfalt der von ANN verwendeten NPs gibt. Vielmehr zeigt ANN nun vermehrt Genusfehler, z.B. *wo is der Bobbycar?* ['bɔkiːkɑː?], und Kasusfehler sowie Fehler in der Kongruenz zwischen den NP-Konstituenten:

(22)

a)   *so an mein Bauch is Wasser*;

b)   *ein schöne Haus bauen* [baɪn].

Die Flexion der Verben scheint zu diesem Entwicklungszeitpunkt Fortschritte zu machen. ANN benutzt recht häufig die dritte Person Singular und versucht sich ebenfalls an der ersten und zweiten Person Singular und sogar Plural:

(23)

a)   *du bin Schaf*;

b)   *du trink da auch mit.*

Parallel zu dieser Entwicklung lassen sich auch Fortschritte im sprachlichen Aufgabenbereich des Satzbaus ausmachen. ANN bildet einen Konsekutivsatz in Form von

(24)   *das da so festhalten, damit es nicht umfällt*
        [dɛːs dɑː soː 'fɛtʰhaltən miː nıç 'ʊmfaltʰ].

Der Schwerpunkt der Entwicklung könnte zu diesem Zeitpunkt eher auf Flexion und Satzbau liegen, da ANN viele Kasus- und Genusfehler macht[35] und Verbformen in ihrer Aufmerksamkeit zu stehen scheinen. Abschließend, kann der Beschreibung von ANNs Entwicklungsstand mit 2;1 noch hinzugefügt werden, dass auch der Bereich der Wort- und Spontanbildung für anspruchsvollere Bildungen eingesetzt wird, vgl. die Form *Bärenschuhe*.

In der Folgeaufzeichnung mit 2;2 baut ANN die Vielfalt der NP-Formen aus. Neben dem neu erworbenen *dein* plus Nomen und *sein* plus Nomen sticht be-

---

[35] Kasus- und Genuskongruenz scheint also zumindest ein sprachlicher Aufgabenbereich zu sein, an dem ANN arbeitet und mit dem sie sich beschäftigt.

sonders die Tatsache hervor, dass das Kind doppelt so viele dreigliedrige NPs benutzt wie noch im Vormonat, z.B

(25) *wo der andere Mann von dem Flugzeug?*

[voː də ˈandə man fɔn diː ˈluːp͡tsɔ͡ʏkʰʔ].[36]

An diesem Beispiel wird außerdem deutlich, welche sprachlichen Aufgabenbereiche mit 2;2 bei ANN besonders aktiv und zuverlässig sind und welche eher im Hintergrund der momentanen Sprachentwicklung stehen. Die Sätze in ANNs Sprachgebrauch werden immer komplexer und auch die NP-Struktur scheint oft Priorität zu haben, während es immer wieder zu Kasus- und Genusfehlern bei den Nomina kommt und die Artikulation noch immer Mängel aufweist bzw. häufig Auslassungen und Reduktionen unterschiedlicher Wörter auffallen. Diese Tendenz und besonders das Auftreten von Kasus- und Genusfehlern zeigt sich auch bei:

(26)

a) *ich reite mal mit den Schaf;*

b) *der Pferd.*

Der immer komplexer werdende Satzbau, der zulasten von Artikulation, aber auch Verbflexion vor sich geht, wird des Weiteren deutlich an Äußerungen wie

(27)

a) *kann die die Unterhose auszieh?;*

b) ich *laufe da nun rüber und gucke nach dem Spielzeug, was die machen*

[ɪç ˈlaːf da nʊ ˈrʏːbɐ ʊntʰ ˈkʰʊkʰ naːχ dem ˈbeːtə ʋa diː maχə].

In der Flexion der Verben fällt auf, dass das *(s)t* der Endung der zweiten/dritten Person Singular oft von ANN ausgelassen wird, wie in *wo komm die rein?.* ANN benutzt vermehrt Wortbildungen wie *Waschmittel, Zahnpasta* oder *Plattenspieler.* Abschließend zu den Beobachtungen im Alter von 2;2, sollte noch

---

[36] Zum Gebrauch der bestimmten und unbestimmten Artikel in den entsprechenden NPs muss an dieser Stelle bemerkt werden, dass es nicht mehr möglich ist, defizitär und umgangssprachlich reduzierte Artikel voneinander zu unterscheiden. Ist der bestimmte Artikel bei *in 'e Schule* oder der unbestimmte bei *'ne Schule* nun reduziert, weil ANN nicht in der Lage ist, den vollständigen Artikel zu bilden oder weil sie aus ihrem Input nach und nach die umgangssprachlich reduzierte Form der Artikel übernommen hat?

auf die Formeln in Form von *wo* plus bestimmter Artikel plus Nomen eingegangen werden. Hatte ANN mit 2;1 während des Protokolls noch häufiger ein Verb in der *Wo*-Frage realisiert, so kann dieses Bemühen ANNs jetzt nicht mehr beobachtet werden. ANN baut weiterhin die NPs innerhalb dieser formelhaften Äußerungen aus, was scheinbar zulasten der Artikulation der Äußerungen geht und nur einmal in Verbindung mit einem entsprechenden Verb geschieht, z.B.

(28)

a)   *wo ist der Plattenspieler?* [voː də ˈklatənʃpiːlɐ?];

b)   *wo die kleine Puppe?*

c)   *wo die Garage?* [voː də ˈraːʃə?].

Etwa vier Wochen später hat sich die *Wo*-Frage bei ANN dahingehend weiterentwickelt, dass immer öfter die Verben *ist* oder auch *sind* in den *Wo*-Fragen realisiert werden, z.B. *wo is der Mann?* Aber auch ein rückschrittlich wirkendes *wo Keks?* lässt sich hier mit 2;3 bei ANN beobachten. Im Gegensatz dazu, gelingt es dem Kind offenbar nicht, die Formel *das/da* plus NP in Verbindung mit einem Verb zu realisieren, z.B. *das ein Huhn.* Ansonsten lässt sich in Bezug auf die Vielfalt der NP-Formen zu diesem Zeitpunkt nichts Neues beobachten. ANN erwirbt zwar keine neuen NP-Formen, legt aber trotzdem noch immer augenscheinlich großen Wert auf diesen sprachlichen Aufgabenbereich. ANNs Satzbau und die von ihr gebildeten NP-Strukturen sind nun schon recht komplex, und sie scheint nun auch einen gesteigerten Wert auf die Konjugation der Verben zu legen, während die Artikulation häufig noch im Hintergrund steht, es noch sehr oft zu Kasus- und immer wieder auch zu Genusfehlern kommt und ANN dabei häufig verschiedenste Wörter reduziert oder auch den zweiten Teil einer Wortbildung auslässt, z.B.

(29)

a)   *hier is die kleine Katze* [ˈkaːtə] *un da noch ein kleine Katze* [ˈkaːtə];

b)   *nehmen die Kabel da zurück un dann kann mei Apfelsaft nehm'n;*

c)   *ein kleine Katze* [ˈglɔ͡tsə], *und die trinkt.*

Weitere Kasusfehler werden bei *kanns du mit in dein Einkaufwagen* sichtbar. Meist handelt es sich bei den Kasusfehlern um Nominativübergeneralisierungen.

Den Dativ benutzt ANN zu diesem Zeitpunkt noch nicht. Aber auch der richtige Genus bereitet ANN noch häufiger Schwierigkeiten, z.B. *such aber noch ein Kasse*. Im sprachlichen Aufgabenbereich der Wortbildung bzw. des Lexikons lässt sich mit 2;3 beobachten, dass ANN vermehrt Spontanbildungen für Gegenstände oder Sachverhalte realisiert, für die sie offenbar den gängigen Ausdruck der deutschen Sprache gerade nicht parat hat oder für die es möglicherweise gar keinen Ausdruck im Lexikon gibt. In diesem Protokoll fallen Äußerungen wie *Nerfchen* oder *Apfewasser*.

Bei der nächsten Aufzeichnung im Alter von 2;5 wird deutlich, dass ANN die Vielfalt ihrer NP-Formen weiter ausgebaut hat. Neben fast allen bisher erworbenen NP-Formen verwendet das Kind nun auch NPs in Form von *ihr* plus Nomen und *alle* plus Nomen sowie eine NP, die aus mehr als drei Gliedern besteht. Das Beispiel *ein weißer großes Schaf* [a͡in ˈvɔ͡Ysɐ ˈgroːsəs ˈzɑːf] demonstriert die Schwerpunktverlagerung sprachlicher Aufgabenbereiche zu diesem Zeitpunkt der Entwicklung. Wichtig zu sein scheint nun die Komplexität der NP, und auch die Zuordnung von Genus und Kasus gelingt teilweise, wenn auch nicht ganz, wie die mangelnde Kongruenz des ersten Adjektivs [ˈvɔ͡Ysɐ] zeigt. Diese Prioritäten gehen eindeutig zulasten der Artikulation von [ˈzɑːf] und [ˈvɔ͡Ysɐ]. ANN macht dennoch weiterhin Kasusfehler, immer noch zumeist in Form von Nominativübergeneralisierungen. Doch auch ein anderer Fehler tritt nun nach und nach auf. ANN zeigt Probleme mit der korrekten Verwendung von *m* und *n* in Fällen wie

(30)

a)   *wo sin Handtücher zun Abputzen?*

b)   *is doch an Fernseh gucken.*

Parallel zu dieser *n-/m-Confusion* beginnt ANN in den Protokollen erstmals, den Dativ zu benutzen, etwa *auf dem Boden*. Aber auch Genusfehler treten mit 2;5 noch auf. Was die Entwicklung der Flexion zu diesem Zeitpunkt angeht, so muss die korrekte Realisierung des Partizip Perfekts erwähnt werden, z.B. *was hat Claudia gesagt?* Die Sätze, die ANN zu diesem Zeitpunkt bildet, werden immer komplexer, und immer öfter ist neben einer oder mehreren korrekten NP-Strukturen auch die Verbflexion korrekt realisiert, z.B.

(31)

a) *schön Gruß für dei Mama;*

b) *Mama, mach mi das Auto mit die Frau mal da in den Tank rein;*

c) *Has du einen Knoten reingemacht;*

d) *Nein, ich will den Strohhalm* [ˈdroːhain].

ANN verwendet auch weiterhin Wortbildungen in Form von Komposita oder Derivaten und zeigt einige Spontanbildungen wie *Menschmann*. Die Strukturen *das/da* plus NP scheinen nun soweit entwickelt, dass immer öfter ein Verb in Verbindung mit ihnen zu finden ist. Neben entsprechenden Äußerungen wie *das is ein Igel* finden sich dennoch Bildungen, die diese Weiterentwicklung nicht zeigen und daher, wie schon häufiger bemerkt, eher rückschrittlich wirken, etwa *das der Kopf*. Noch im selben Monat zeigt sich bereits eine Weiterentwicklung in puncto *da/das* plus *ist* plus NP. ANN bildet in diesem Sinne *da war ein Igel* und führt somit die Verwendung des Präteritums in die formelhaften Äußerungen ein. Auch die *Wo*-Frage kann mit 2;5 mit *ist* beobachtet werden, z.B. *wo is die Mandarine?*

Etwa vier Wochen später tritt bei der *Wo*-Frage wieder ein Fortschritt auf. ANN formuliert *wo* plus *sind* plus NP, z.B *wo sin die Männer denn?* Allerdings lässt sich auch noch mit 2;6 die längst ausgebaute Form *wo* plus NP beobachten, und zwar bei Äußerungen wie *wo der Traktor?* Die zweite Formel, die ANN in diesem Alter benutzt, wird einerseits in der Äußerung *da sin zwei Rote*, andererseits aber auch in Äußerungen wie *das eine Flasche Cola* realisiert. Eine dritte und bisher von ANN nicht benutzte formelhafte Bildung findet sich in der Äußerung *Claudia seine Uni*. Während des Protokolls benutzt ANN den bestimmten und unbestimmten Artikel plus Nomen seltener als noch im Protokoll des Vormonats und zeigt keine Erweiterung der Vielfalt der NP-Konstituenten. Das Kind realisiert die Flexion der Verben betreffend allerdings neu erworbene Präteritalformen, wie *ich wollte für den noch ein Löffel haben*, ihm unterlaufen aber nach wie vor noch Kasusfehler, z.B. *von mein Apfelsaft*, obwohl Akkusativ und auch Dativ an anderer Stelle schon realisiert werden, z.B.

(32)

a) *kann der auf nem Boden schlafen?*

b) *einma runtergeplumpst und auf den Kopf.*

Aber auch Genusfehler sind mit 2;6 keine Seltenheit. Bezüglich der zweiten und dritten Person Singular der Verben, kann für das Alter 2;6 beobachtet werden, dass ANN das *t* der Endung scheinbar unkoordiniert einmal realisiert und ein anderes Mal weglässt:

(33)

a) *sollst mitkommen*;

b) *du solls mich da mal ranheb.*

ANN produziert des Weiteren jetzt vermehrt Pseudowörter wie *Munka* und *Tacker*. Auch der sprachliche Aufgabenbereich der Wortbildung scheint zu diesem Zeitpunkt durchaus aktiv zu sein, z.B. *Pantoffelnchen* und *Dreher*. Außerdem realisiert ANN mit 2;6 einige Nomina artikulatorisch korrekt, die in den Aufzeichnungen davor noch reduziert und vereinfacht von ihr ausgesprochen wurden, z.B.

(34)

a) *Strauß bei Claudia* (davor [kʰa͜u]);

b) *meine Zähne angucken* (davor [ˈhɑːmə]).

In der Aufzeichnung, die von ANN im Alter von 2;7 entstand, benutzt sie erstmalig in den Protokollen die NP *drei* plus Nomen. Quantitativ scheint es zu diesem Zeitpunkt keine drastische Veränderung bei der Verwendung der verschiedenen NP-Formen zu geben, wenn auch deren Komplexität ausgebaut wird und es in diesem Protokoll zu der Bildung einer mehrgliedrigen NP kommt:

(35) *die braucht vielleicht noch eine gan grosse Unterhose.*

An Äußerung (35) lässt sich zeigen, dass mit 2;7 sowohl Satz- als auch NP-Komplexität weiterhin zugenommen haben und die Konjugation des Verbs sowie Kongruenz und Genus der NP immer öfter korrekt realisiert werden, es dabei aber zu Reduktion und Vereinfachung in der Artikulation verschiedener Wörter kommen kann. Auch mit der Konstruktion *da muss du in dein Kaffee tun* lässt sich die Tendenz untermauern, dass ANN in diesem Alter zwar meist Satzbau und NP-Struktur korrekt realisiert, aber einzelne Worte, wie hier *da(s)* und *muss(t)*, reduziert und überdies zu Kasusfehlzuordnungen neigt. Der Akkusativ wird zeitlich parallel dazu allerdings von ANN korrekt gebraucht:

(36)   *die soll'n alle gucken, wo der Fahrer hinfährt.*

Die zunehmende Komplexität des Satzbaus wird auch anhand Äußerung (36) veranschaulicht, da es sich hier um den Gebrauch eines Relativsatzes handelt, was bisher in den Protokollen bei ANN kaum beobachtet werden konnte. Des Weiteren bleibt zu diesem Zeitpunkt der sprachlichen Entwicklung von ANN zu sagen, dass sie mit dem Partizip Perfekt und der Präteritalform *wollte* kaum noch Schwierigkeiten hat und dass es ebenso im Aufgabenbereich der Artikulation zu Verbesserungen kommt. Dies wird daran deutlich, dass ANN die Nomina *Flugzeug*, *Marienkäfer* oder *Schmetterling* korrekt realisieren kann, was in den Vormonaten oft nicht der Fall war. Die Bereiche der Wortbildung und des Lexikons scheinen auch zu diesem Zeitpunkt der Entwicklung eher im Mittelpunkt zu stehen, da das Kind mit 2;7 immer noch sehr häufig Pseudowörter bildet. Aber auch luxemburgische Begriffe und einige Spontanbildungen wie *Rohrer*, *Peitscher* oder *Klickser* – allesamt in der Produktion eher anspruchsvolle *er*-Derivate – untermauern diese Vermutung. Die Beobachtungen ANNs im Alter von 2;7 abschließend, wird an dieser Stelle noch auf den Entwicklungsstand der formelhaften Strukturen eingegangen. Die Bildung *das/da* plus *ist* plus NP erfährt einen weiteren Fortschritt, da ANN in diesem Zusammenhang eine NP in Form von *mein* plus Nomen realisiert, nämlich *das is meine Mami.*

Die Aufzeichnung, die von ANN im Alter von 2;9 aufgenommen wurde, zeigt bezüglich der Formeln keine Neuerungen. Zu diesem Zeitpunkt lässt sich allerdings eine auffällige quantitative Zunahme der NP bestimmter Artikel plus Nomen, der PPs und der dreigliedrigen NPs beobachten, sonst erwirbt ANN keine neuen NP-Formen. Neben hoher NP-Komplexität zeigt sich mit 2;9 auch eine weiter ausgebaute Komplexität des Satzbaus. In diesem Sinne realisiert ANN nun *Wenn-dann*-Konstruktionen, etwa:

(37)

a)   *wenn ich so ein Weihnachtstüt dabeihab, dann trocknet das auch gar nich aus*;

b)   *un wenn der unten is, dann komm du zu spät, wenn du [...].*

Aber auch abseits dieser Konstruktionen lässt sich jetzt bei ANN deutlich demonstrieren, wie komplex die von ihr gebildeten Sätze inzwischen sind, z.B.

(38) *je krieg die Grosse eine Flasche, und du kanns den Wolf ha.*

Anhand Beispiel (37) und (38) lässt sich zudem veranschaulichen, welche sprachlichen Aufgabenbereiche bei ANNs Entwicklung mit 2;9 eher im Hintergrund stehen. So geht die zunehmende NP- und Satzkomplexität oft einher mit nicht fertig realisierten Wörtern aller Klassen, wie [jɛ] für *jetzt* und [hɑ] für *haben* in Beispiel (38). Die zunehmende Komplexität gestaltet sich darüber hinaus meist zulasten von korrekter Genus- und Kasuszuweisung, z.B.:

(39)

a)   *warum is der Augel zu?*

b)   *jetz komm der Zug zu'n Bahnhof*;

c)   *und du darfs auf mein Stuhl.*

Bei den auftretenden Zuweisungsfehlern handelt es sich immer öfter auch um *n-/m-Confusion* und Nominativübergeneralisierung, wohingegen Genusfehler seltener auftreten. Parallel zu den Kasusfehlern verwendet ANN aber Akkusativ und Dativ auch schon korrekt, z.B.:

(40)

a)   *dann ham die kein'n Sitzplatz mehr*;

b)   *in dem Kinderwagen.*

Das Partizip Perfekt hat ANN mit 2;9 vollständig erworben, z.B. *nassgespritzt*. An dieser Stelle muss außerdem noch auf die verbesserte Artikulation einiger Nomina hingewiesen werden. ANN ist nun in der Lage, die Nomina *Strohhalme* und *Fischstäbchen* artikulatorisch korrekt zu realisieren. Auch die Artikulation des Nomens *Bobbycar* nähert sich mit 2;9 der zielsprachlichen Aussprache an, auch wenn es noch Abweichungen gibt, etwa [bɔgɪˈkɑː]. Mit 1;8 lautete ANNs Aussprache von *Bobbycar* noch [ˈbʊkiː].

Mit 2;10, ungefähr fünf Wochen später, hat sich an den Trends, die sich schon mit 2;9 abgezeichnet haben, nichts Grundlegendes verändert. ANNs NP-Inventar erfährt keine Neuerungen, aber sie bildet recht komplexe NPs, die auch mehr als drei Glieder enthalten. ANN bildet außerdem lange, komplexe Sätze, etwa:

(41)

a) *dass wir den Schuh von einer Puppe mitgenomm'n ham*;

b) *und ich komme wieder zu dir nach Hause und bring Eis mit in einer Packung.*

Aber *n-/m-Confusion* und Nominativübergeneralisierung bleiben Fehler, die das Kind nach wie vor recht häufig macht. Genusfehler stehen zwar nicht im Vordergrund von ANNs Entwicklung, doch auch sie lassen sich hin und wieder beobachten, z.B. *der Biene*. Eine augenscheinliche Verbesserung tritt mit 2;10 auch im sprachlichen Aufgabenbereich der Artikulation auf. Nomina, deren korrekte Aussprache ANN noch vor einiger Zeit Probleme bereitet hat, werden nun fehlerfrei artikuliert, z.B.

(42)

a) *die woll'n Karussell fahr'n*;

b) *ich wollte mal mein Bobbycar hol'n.*

Formeln kommen zu diesem Zeitpunkt der Entwicklung kaum vor, bzw. sie sind zu vollständigen Sätzen gewachsen, sodass sie ihren typischen Charakter nahezu verloren haben,[37] wie an einer mit 2;10 realisierten *Wo*-Frage deutlich wird:

(43) *wos/wo sin deine Kinderbücher?*

Auch die Aufzeichnungen, die von ANN im Alter von 3;0 und 3;1 gemacht wurden, verdeutlichen die oben beschriebene grobe Tendenz der Entwicklung hin zu komplexer Struktur bei NPs und Sätzen zulasten von korrekter Kasuszuordnung. ANN erwirbt mit 3;0 keine neuen NP-Formen mehr und benutzt auch die schon erworbenen eher sparsamer als in den Monaten zuvor. Es entsteht sogar der Eindruck, dass ANN im Bereich der NP-Entwicklung mit 3;0 zu Rückschritten neigt, wenn man die folgenden Beispiele bezüglich der reduzierten NPs betrachtet:

(44)

a)   *das* [də] *grüne Auto*;

b)   *eine* [ə] Giraffe.

Parallel dazu tauchen aber erstmals in den Aufzeichnungen komplexe grammatische Formen auf, etwa:

(45)

a)   *der Baby muss jetz angeschnallert werden*;

b)   *müsste die Knöpfe zuhaben.*

Auch die Komplexität des Satzbaus scheint zu diesem Zeitpunkt definitiv ein Schwerpunkt der sprachlichen Entwicklung zu sein, z.B.

(46)   *wo's denn der Frau, der ein Hund an sein Wagen hatte?*

Im Hintergrund der sprachlichen Entwicklung ANNs jetzt scheinen immer noch einige Bereiche der Flexion zu stehen. ANN macht, wenn auch immer seltener, Genusfehler. Aber auch die schon in den Vormonaten häufig bei ihr gefundenen Kasusfehler in Form von Nominativübergeneralisierung und *n-/m-Confusion* reißen mit 3;0 nicht ab:

(47)

a)   *wollte mich mal mit ie Kinder*;

b)   *ich wollt gerade mit mein Telefon rumlaufen.*

Parallel dazu zeigt ANN in diesem Protokoll immer noch einen unsicheren Umgang mit der *t*-Endung der Verben in der zweiten und dritten Person Singular. Außerdem tauchen mit 3;0 in ANNs Äußerungen wieder unflektierte Verben auf, und das Kind scheint nicht in der Lage, das längst korrekt verwendete Partizip Perfekt durchgehend korrekt zu realisieren:

---

[37] Der hier beobachtete Entwicklungsablauf von Formel zu Schema wird in Kapitel 6.2.2 im Detail dokumentiert und netzwerktheoretisch eingeordnet.

(48)

a) *du gucken*;

b) *da hatte ich den aber geschiebt?*

Im Unterschied zu der rückschrittlich anmutenden NP-Entwicklung des Vormonats zeigt sich bei ANN mit 3;1 ein drastischer quantitativer Anstieg der Verwendung folgender NP-Formen: bestimmter Artikel plus Nomen, unbestimmter Artikel plus Nomen, *mein* plus Nomen, dreigliedrige NPs, mehrgliedrige NPs sowie PPs. Außerdem benutzt ANN zum ersten Mal die NP *unser* plus Nomen. Aber auch die sprachlichen Aufgabenbereiche Lexikon und Wortbildung scheinen nun einen Schwerpunkt der Entwicklung zu bilden, denn ANN realisiert mit 3;1 vermehrt Diminutive wie *Püppchen*, *Männchen* und *Brötchen*. Neben einigen Spontanbildungen fallen des Weiteren viele regulär zusammengesetzte Wörter wie *Schraubenzieher* oder *Fliegenklatsche*. Ansonsten gleicht der Entwicklungsstand mit 3;1 dem des Vormonats darin, dass ANN oft komplexe Sätze baut, z.B.

(49) *ja, aber die klein'n Babys, die soll'n draußen bleiben,*

dabei allerdings noch immer Kasusfehler macht, verschiedene Wörter, beispielsweise *au*(ch), *un*(d), *sin*(d) sowie *di*(r) und *unse*(re), nur reduziert realisiert oder die *t*-Endung der zweiten und dritten Person Singular der Verben weglässt, z.B.:

(50)

a) *ich trink bisschen bei'n Spiel'n ein Saft*;

b) *die sin in den Haus eingesperrt.*

4.2.2 FAL

Bei einem Vergleich der Schwerpunktverlagerungen sprachlicher Aufgabenbereiche zwischen den beiden CHILDES-Kindern FAL und ANN zeigt sich, wie schon in Kapitel 4.1 beschrieben, dass FAL in seiner sprachlichen Entwicklung zumindest anfänglich hinter ANNs Entwicklung herhinkt. Mit 1;4 produziert FAL nur imitierte Nomina, zu den restlichen sprachlichen Aufgabenbereichen lässt sich nichts sagen, da sie zu diesem Zeitpunkt der Entwicklung nicht in Erscheinung treten.

Bei der nächsten Aufzeichnung, mit 1;5 sind Einwortäußerungen wie *Mann* ['manə] zu finden.

Mit 1;6, etwa einen Monat später, beginnt FAL, mehr Aufmerksamkeit auf die Entwicklung der NP zu legen. Er bildet z.B.

(51)

a)   *ein* [ə] *Eis*;

b)   *ein Elefant* [jə'anth].

Es bleibt dabei, dass die Artikulation der Nomina sehr eingeschränkt und reduziert ist. FAL benutzt in diesem Protokoll einige Verben, die im Infinitiv stehen, etwa *abputzen* ['abʊstən].

Etwa fünf Wochen später bildet FAL die onomatopoetische Spontanbildung *ein Wauwau* [a'vau͡] und die NP *ein Dugu* sowie die Äußerung *mehr Affe Affe*. Einfach zu artikulierende Nomina sind für FAL zu diesem Zeitpunkt kein Problem, Schwierigkeiten hat das Kind hingegen bei der Artikulation von z.B.

(52)

a)   *Katze* [ra:tə];

b)   *Männchen* ['mɛ:ndʃə].

FAL bildet einmal das Nomen *Katzen*, doch es scheint durch den Kontext der Äußerung eher unwahrscheinlich, dass es sich dabei um eine bewusste Pluralmarkierung handelt. Verben erscheinen zu diesem Zeitpunkt der Entwicklung meist im Infinitiv, wie *kämpfe*, wobei es oft zur Auslassung der *n*-Endung kommt. FAL bildet parallel dazu aber auch die korrekte Form des Infinitivs, z.B. *essen*.

Mit 1;9 verwendet FAL bereits vollständige Artikel in seinen NPs, z.B. *eine Katze* und *ein Messer*. In dieser Aufzeichnung taucht erstmalig eine Formel in Form von *da Jacke* auf.

Einen Monat später dann hat sich der sprachliche Aufgabenbereich der NP-Struktur sprunghaft weiterentwickelt. FAL bildet den bestimmten und den unbestimmten Artikel plus Nomen, *anderer* plus Nomen und Adjektiv plus Nomen. Häufig tauchen auch uneindeutige und reduzierte Artikel auf, z.B.

(53)

a)   *ein Schaf* [iːʃaːb];

b)   *eine* [ə] *Maus.*

An diesen Äußerungen wird deutlich, dass der sprachliche Aufgabenbereich der Artikulation noch im Hintergrund von FALs Entwicklung steht, während die NP-Struktur im Alter von 1;10 wahrscheinlich einen Schwerpunkt bildet. Aber auch die Flexion erfährt zu diesem Zeitpunkt vermehrt Aufmerksamkeit. FAL versucht, das Partizip Perfekt zu realisieren, z.B. *umgefallen* [ʊməˈfalə], und bildet scheinbar die dritte Person Singular einiger Verben, etwa *Hund bellt.* Auch in der Deklination macht FAL Fortschritte und realisiert die Pluralformen *Pferde, Beine* und *Hühner.* FAL beginnt mit 1;10 außerdem, den Bereich der Wortbildung bzw. des Lexikons auszubauen. Er realisiert in diesem Sinne die abgeleitete Form *Pieker* und Komposita wie *Mamafant.* Die im letzten Protokoll erstmals aufgetretene Formel in Form von *da Jacke* wird mit 1;10 ausgebaut zu

(54)

a)   *Hund da;*

b)   *Papa das.*

Mit 2;0, etwa fünf Wochen später, fügt FAL in diese Struktur fast immer das Verb *sein* ein, das im Singular als *ist* [ɪs] und im Plural als *sind* [zɪn] realisiert wird. Das Nomen davor steht meist mit dem unbestimmten Artikel oder einem Adjektiv, wobei es sich dabei meist um *schön* handelt. Da dieses Adjektiv auch weiterhin von FAL bevorzugt wird, muss davon ausgegangen werden, dass es fest zur Kombination Adjektiv plus Nomen gehört, z.B.

(55)

a)   *Papa is das;*

b)   *Katzen sin das;*

c)   *ein Katze is das;*

d)   *schöner Löwe is das;*

e)   *Aa sin das.*

Außerdem zeigen sich bei FAL noch die Formeln *das* plus Nomen und *da* plus Nomen, z.B. *das Eis* und *da Bär*. Bemerkenswert daran ist die Tatsache, dass FAL im Zusammenhang mit den eben genannten Kombinationen in der Lage ist, zielsprachlich anspruchsvollere Nomina zu artikulieren. Auch im Bereich der NP-Struktur zeigen sich in diesem Protokoll Fortschritte. FAL bildet NPs in Form von *mein*, *alle* und *kein* plus Nomen und äußert, erstmals in den Aufzeichnungen, eine dreigliedrige NP, nämlich *eine große Giraffe* [ə ˈgroːʃɐ ˈrɑf]. Wie an diesem Beispiel deutlich wird, scheint FAL mit 2;0 einen Schwerpunkt seiner sprachlichen Entwicklung auf die NP-Struktur zu legen, während die Artikulation weiterhin eher im Hintergrund steht, wenn es sich nicht um Formeln handelt. Zum ersten Mal in den Protokollen treten nun auch Genusfehler auf, z.B. *ein Katze is das*. FAL realisiert außerdem vermehrt Spontanbildungen und Pseudowörter wie *Fütterfisch*; *Pissimann* und *ein Tacket*. Des Weiteren gibt es mit 2;0 Neuerungen im Bereich der Flexion. Das Kind bildet nun die erste, zweite und dritte Person Singular einiger Verben. Separate Verben stehen dagegen weiterhin im Infinitiv. Auch das Partizip Perfekt taucht nun oft auf, z.B. *weggenommen* [ˈvɛkʰnɔmə(n)].

Im Alter von 2;1 lässt sich in den Aufzeichnungen eine drastische quantitative Zunahme einiger NP-Formen beobachten. Bestimmter Artikel, Adjektiv, *mein* und *kein* plus Nomen werden deutlich öfter verwendet als noch im Protokoll des Vormonats. FAL hat zu diesem Zeitpunkt auch eine neue NP-Form, und zwar *dein* plus Nomen, erworben und damit nicht nur die Quantität einzelner Formen, sondern auch die Vielfalt seiner NP-Strukturen erweitert. Bemerkenswert bei FALs NPs der Form Adjektiv plus Nomen bleibt weiterhin die Tatsache, dass *schön* in vielen Zusammenhängen gehäuft auftritt, z.B.

(56)

a)   *schöner Bär*;

b)   *schöne Zucker*.

In den Formeln bleibt *schön* innerhalb dieser Aufzeichnung das einzige von FAL eingesetzte Adjektiv. Wie die eben genannten Beispiele zeigen, ist die Entwicklung der formelhaften Strukturen noch nicht so weit fortgeschritten, als dass FAL immer eine korrekte Pluralzuordnung zwischen Verb und Nomen realisieren kann.[38] Ansonsten verwendet das Kind mit 2;1 auch formelhafte Bildungen in Form von *das* plus unbestimmter Artikel plus Nomen sowie *das* plus *is* plus unbestimmter Artikel/Possessivartikel plus Nomen, z.B.:

(57)

a)   *das ein Schaf*;

b)   *das is ein Haus*;

c)   *das is mein Essen.*

Im Vergleich zur letzten Aufzeichnung, in der FAL noch *das Aamama* bildete und das Verb elliptisch war, zeigt sich hier nun eine fortschrittliche Entwicklung, und zwar in Bezug sowohl auf die ausgebaute NP als auch auf die Realisierung des Verbs *is*. Die NP *das neue Buch* [ˈɑs ˈnɔɣə ˈbʊs] deutet einen weiteren Schwerpunkt der Sprachverarbeitung mit 2;1 an. FAL legt auch in diesem Protokoll scheinbar großen Wert auf die Realisierung der NP-Struktur, während er die Artikulation der Nomina eher vernachlässigt, etwa bei:

(58)

a)   *die Häschen* [ˈhɪnə];

b)   *ein Rehkitz* [ˈmiːkɪts].

Aber auch Wortbildung bzw. Lexikon und Satzbau sowie Flexion machen Fortschritte und stehen offenbar keineswegs im Hintergrund der Entwicklung. FAL bildet Pseudowörter wie *Ticketeil* und Spontanbildungen wie *Wackelkatze*. FAL ist nun auch in der Lage, mehrere NPs in einem Satz zu realisieren und Nebensätze zu formen, z.B.:

(59)

a)   *Huhn is schön Eier*;

b)   *das heiß, wenn der aufgeht.*

Zum Aufgabenbereich der Flexion bleibt zu vermerken, dass das Kind Fortschritte in Bezug auf die Bildung des Partizip Perfekt macht, dabei jedoch nach wie vor oft nur ein *e*-Präfix realisiert. FAL macht auch mit 2;1 Genusfehler, während Kasusfehler noch nicht auftauchen. Es bleibt aber zu vermuten, dass

---

[38] Vgl. dazu auch das Beispiel *das is Walnüsse is das* (2;1).

FAL nun allmählich ein Gefühl für Kasus entwickelt, da er beginnt, Nomina im Akkusativ zu bilden, z. B. *da den Hai*.

Die Aufzeichnung, die von FAL mit 2;3 gemacht wurde, lässt vermuten, dass die Flexion nun gänzlich in den Fokus der sprachlichen Entwicklung rückt, und zwar zulasten von NP-Vielfalt und -Quantität sowie Artikulation. Die Verwendungshäufigkeit der einzelnen NP-Formen sinkt während dieses Protokolls drastisch, nur der bestimmte Artikel plus Nomen wird mehr als doppelt so oft eingesetzt wie im vorhergehenden Gesprächsmitschnitt, z.b.:

(60)

a)   *ein Zebra* [ˈɛgɐ];

b)   *eine Schildkröte* [ə ˈkʰøtə].

Diese Bildungen verdeutlichen FALs Probleme mit der Artikulation der Nomina. Auch die Artikel scheinen in diesem Mitschnitt wieder vermehrt uneindeutig oder zumindest reduziert.[39] FAL benutzt mit 2;3 nur noch einen Typ der bisher aufgetauchten formelhaften Strukturen, nämlich *da* (plus *is/sin*) (plus unbestimmter/bestimmter Artikel) plus Nomen. Das nachgestellte *is/sin das* ist in dem Gesprächsmitschnitt nicht zu finden, z.B.

(61)

a)   *da Deckel*;

b)   *da ein Fisch*;

c)   *da is eine Pfanne*;

d)   *da sin die Tigers*.

Wie schon angemerkt, scheint sich die Flexion bis zu diesem Protokoll deutlich weiterentwickelt zu haben. FAL kann das Partizip Perfekt immer öfter korrekt realisieren, auch wenn parallel zu dieser Verbesserung noch Formen ohne korrektes *ge*-Präfix stehen, z.B. das Nebeneinander von *abgeschlossen* und *fundet*. Des Weiteren zeigen sich in diesem Monat Genusfehler und Pluralübergeneralisierungen bei FAL. Kasusfehler sind auch mit 2;3 noch nicht eindeutig zu fin-

---

[39] Es muss allerdings auch zu diesem Zeitpunkt der Entwicklung davon ausgegangen werden, dass die Realisierung von NP-Struktur weiterhin in den einzelnen Äußerungen vorrangig im Vordergrund der Sprachverarbeitung steht, auch wenn Quantität und Vielfalt der NPs in diesem Mitschnitt eher zurückgehen.

den.[40] Die oben beschriebenen Fehler machen deutlich, dass FAL an und mit dem Aufgabenbereich der Flexion arbeitet und dieser immer mehr in den Fokus der Sprachentwicklung tritt. Abschließend zur Entwicklung von 2;3 soll nun noch auf die Bereiche Satzbau und Wortbildung bzw. Lexikon eingegangen werden, die ebenfalls immer mehr einen Schwerpunkt der Entwicklung FALs bilden. Am Beispiel *die Maus kann die Schnecke nich essen* werden die Fortschritte im Satzbau deutlich. FAL ist außerdem in der Lage, die korrekten Genera zuzuordnen, kann die NP-Struktur einhalten, verwendet die Flexion korrekt und setzt sogar eine korrekte Negation ein. Die Beispiele *Bärchen*, *Papalöwe* und *Wallbor* zeigen die rege Entwicklung von Diminutiven, Spontanbildungen und Pseudowörtern.

Mit 2;4, etwa vier Wochen später, steigen die Bildungen fast aller von FAL benutzten NP-Formen drastisch an. Außerdem hat das Kind inzwischen die NP *sein* plus Nomen erworben, etwa in *das sein Hause*. Hatte FAL noch im letzten Gesprächsmitschnitt zwei dreigliedrige NPs gebildet, so lassen sich hier zehn NPs dieser Art finden, beispielsweise *ein lieber Wolf* oder *mit die dicken Fanten*. Es muss daher festgehalten werden, dass mit 2;4 ein Schwerpunkt der sprachlichen Entwicklung auf der zunehmenden NP-Vielfalt, -Komplexität und -Quantität liegt. Aber auch Satzbau und Wortbildung bzw. Lexikon machen zu diesem Zeitpunkt Fortschritte. Einen weiteren Schwerpunkt der Entwicklung bildet die Flexion. Zwar zeigt FAL bei der Zuordnung von Genus, Kasus und Numerus Auffälligkeiten, doch genau diese Tatsache verrät, womit FALs Sprachverarbeitung zu diesem Zeitpunkt „kämpft". FAL neigt in diesem Sinne zu Pluralübergeneralisierungen wie *mehr Nudelns*. Außerdem tauchen mit 2;4 vermehrt Genusfehler auf. FAL verwendet bereits den Akkusativ, zeigt aber noch keinen Fall von Dativgebrauch. Dass FAL anstatt des Dativs den Akkusativ verwendet oder auch beide Kasus durch den Nominativ ersetzt, zeigen folgende Beispiele:

(62)

a) *mit den Wolf;*

b) *ein Elefant reiten.*

---

[40] Dies liegt wohl auch daran, dass sich an reduzierten Artikeln kein Kasus und somit auch keine Fehlzuordnung feststellen lässt.

Des Weiteren zeigen die Äußerungen des Jungen in fast allen Protokollen einen bereits von ANN bekannten Fehler: Es treten Probleme mit der Verbalendung in der zweiten und dritten Person Singular auf,[41] z.B. *der da gähnt* ['dɛːɐ dɑː 'gɛːns]. Die Formeln betreffend, muss für diesen Zeitpunkt festgehalten werden, dass es eine größere Vielfalt an Kombinationen als im Mitschnitt des Vormonats gibt, z.B.

(63)

a)   *da s ein Pferd;*

b)   *kein Feuerwehr is das;*

c)   *da sin die Mama da;*

d)   *das s der dicke Papa da.*

Die Beispiele zeigen, dass die NPs innerhalb der formelhaften Bildungen weiter komplexer werden und die Numeruszuordnung bis auf wenige Ausnahmen korrekt umgesetzt ist. Die Tendenz, dass Flexion und NP-Struktur auch mit 2;4 im Mittelpunkt der sprachlichen Entwicklung stehen, vollzieht sich allerdings offenbar zulasten der Artikulation der Nomina, z.B.

(64)

a)   *der hat da einen Knochen im Mund* [dɑː hat a͡in 'kʰɔsən 'dɑː ɪm 'mʊntʰ];

b)   *da Drachen* [dɑː 'gɑs];

c)   *das ist ein altes Auto* [das ɪs 'aːtɪʃ 'a͡uto].

In der folgenden Aufzeichnung wird deutlich, dass FAL sein mit 2;4 vorgelegtes NP-Niveau halten kann, was NP-Quantität und -Vielfalt betrifft. Das Kind zeigt mit 2;5 sogar eine neue NP-Form, nämlich *unser* plus Nomen. Im sprachlichen Aufgabenbereich der Wortbildung scheinen zu diesem Zeitpunkt FALs Fähigkeiten zu stagnieren. Er bildet nach wie vor viele reguläre Komposita, aber auch anspruchsvollere Derivate und zusammengesetzte Spontanbildungen, z.B.:

---

[41] Die Probleme mit den Verbalendungen im Singular werden zwar im Folgenden nicht bei jedem Erscheinen beschrieben, ziehen sich aber bis 3;1 durch die Aufzeichnungen für FAL. Grund hierfür könnte der deutlich umgangssprachliche Input durch FALs Bezugspersonen sein.

(65)

a)   *Piekser*;

b)   *Mutterkatze.*

Mit 2;5 ist FAL des Weiteren bereits in der Lage, komplexe Satzstrukturen zu realisieren, z.B.

(66)

a)   *da da komm'n die Tigers und die Löwen* ['rɵvən] *hin*;

b)   *da dein Hund darf das 'n Schimpansen* ['pɑnsən] *die nich essen.*

Schwierigkeiten hat FAL mit der Artikulation der Nomina, wie in den eben genannten Beispielen deutlich wird, sowie mit einigen Bereichen der Syntax, und zwar mit der Kasus- und Genuszuordnung, z.B.:[42]

(67)

a)   *der hat ein Knochen* ['kʰɔsən];

b)   *das da das sin die große* ['goːsə] *Zähne*;

c)   *da noch* [nɔs] *ein Seite.*

Wie entwickeln sich nun aber die sogenannten Formeln weiter? FAL verwendet jetzt häufig *Wo*-Fragen, z.B. *wo is der Eisbär?* Deutlich seltener taucht hier Nomen plus *is/sin* plus *da* auf. Meist mit korrekter Numeruszuordnung verwendet das Kind *da/das* plus *is/sin* plus NP, z.B. *das s ein Tiger* und *da sin die Vögel*. Bemerkenswert in diesem Zusammenhang bleibt die Tatsache, dass FAL anspruchsvoll zu artikulierende Nomina recht zielsprachlich realisieren kann, sobald sich das Nomen in einer formelhaften Struktur befindet.

In der nächsten Gesprächsaufzeichnung, im Alter von 2;6, benutzt FAL die meisten NP-Formen etwas häufiger als im letzten Protokoll, erwirbt aber keine völlig neue NP-Struktur. FALs Satzkomplexität nimmt mit 2;6 weiterhin zu, z.B.:

---

[42] Bei den Kasusfehlern handelt es sich meist um Nominativübergeneralisierungen auf Akkusativ- oder Dativkontexte.

(68)

a)   *ein Stinktier* [ˈdɪnktiːɐ] *war schon mal bei Menschen n Fernseher?*

b)   *die andern Schildkröten* [ʃɪlkʰøtən] *könn'n dann raus.*

FAL zeigt zudem zunehmende Kreativität in den Bereichen Lexikon und Wortbildung. Neben regulären Komposita kommt es immer öfter zu Spontanbildungen und der Bildung von Pseudowörtern, z.B. *Ballerhaus* und *Kackeregen*.
Schwierigkeiten scheint FAL, wie an Beispiel (68) deutlich wird, noch immer
mit der Artikulation der Nomina zu haben. Ein weiterer Bereich der Sprachentwicklung, der zwar mit 2;6 viele defizitäre Auffälligkeiten zeigt, aber gerade
deswegen so interessant ist, ist der Bereich der Flexion. FAL verwendet noch
keine Dativformen, sondern überdehnt auf Dativkontexte eher den Akkusativ,
wie an der Äußerung *auf den Dach* deutlich wird. Auch der Nominativ erfährt
nach wie vor oft eine Übergeneralisierung. FAL begeht zu diesem Zeitpunkt
aber auch Genusfehler, z.B.:

(69)

a)   *die müde Huhn;*

b)   *pass der Pferd hier rein?*

Immer öfter ist FAL nun zwar in der Lage, das *ge*-Präfix des Partizip Perfekts zu
realisieren. Trotzdem kommt es mit 2;6 zu fehlerhaften oder unvollständigen
Bildungen des Partizip Perfekts. Viele der Formeln, die FAL in diesem Gesprächsmitschnitt bildet, zeigen die Form *da/das* plus (*i*)*s/sin*(*d*) plus NP, z.B.:

(70)

a)   *das da kein Tier dauf kein Tier;*

b)   *das sin die Igel.*

Die Verwendung von formelhaften Strukturen hat allerdings während der letzten
Aufzeichnungen stetig abgenommen und ist nach den eben genannten Formen
nur noch in der Aufzeichnung von 2;8 zu finden. Ansonsten zeichnet sich der
Gesprächsmitschnitt durch Verbesserungen im Bereich der Satzstruktur aus.
FAL bildet in diesem Sinne einen *Wenn*-Satz und einen Relativsatz:

(71)

a) *wenn die immer die Kinderhasen ärgern;*

b) *wo die anan Tiere drin sind, da komm die rein.*

Außerdem hat die Zahl der Spontanbildungen zu diesem Zeitpunkt einen ersten Höchststand erreicht. FAL realisiert beispielsweise *Blödmannaffen* und *Hörnbockmann*. Das Kind macht außerdem Fortschritte im Bereich der Artikulation und ist in der Lage, *der Gorilla* und *die Schildkröte* zielsprachlich auszusprechen. Auch das Partizip Perfekt wird nun immer öfter korrekt gebildet. Im Bereich der NP-Formen scheinen FALs Fähigkeiten mit 2;8 auf einem recht hohen Niveau zu stagnieren. Er erwirbt keine neue NP-Struktur, wendet die bereits angeeigneten Formen dennoch fleißig an. Problematisch gestaltet sich zu diesem Punkt der Entwicklung noch immer die korrekte Kasuszuordnung, vor allem in längeren Äußerungen neigt FAL zu Nominativ- und Akkusativübergeneralisierungen, etwa:

(72)

a) *da fährt der Eisbär mit ein Schuh hin;*

b) *ja, ja, auf den Stuhl kanns du nich mehr drauf sitz.*

Der Dativ taucht mit 2;8 kaum auf. Wie Beispiel (72) zeigt, lässt FAL in längeren Äußerungen des Öfteren einzelne Buchstaben, wie bei *kanns(t)* und *nich(t)*, oder ganze Infinitivendungen, etwa bei *sitz(en)*, weg, ist dafür aber in der Lage, neben einer gewissen Satzkomplexität auch korrekte NP-Strukturen (*der Eisbär, mit ein Schuh* und *auf den Stuhl*) zu realisieren, wenn auch mit Problemen bei der Kasuszuordnung.

Einen Monat später, mit 2;9, lassen sich bei FAL drastische Veränderungen bezüglich der NP-Formen feststellen. Das Kind verwendet fast alle NP-Strukturen quantitativ öfter und benutzt erstmalig in den Aufzeichnungen die NP *zwei* plus Nomen sowie eine mehrgliedrige NP. Bemerkenswert in diesem Gesprächsmitschnitt ist außerdem die zunehmende Komplexität der grammatischen Strukturen und des Satzbaus, z.B.:

(73)

a) *wenn die nich gestreichelt* [ə'ʃtraɪ̯çəltʰ] *werden will*;

b) *wenn ein schwarzer* ['zraːtsɐ] *Schäferhund immer Perlen essen mag, dann heiß Perle immer*;

c) *aber die hat kein'n Hund, sondern die hat nur ein Katze nur.*

Im Hintergrund der Entwicklung scheint zu diesem Zeitpunkt noch immer die korrekte Zuordnung von Kasus und Genus zu stehen. Neben einigen Genusfehlern kommt es nach wie vor sehr oft zu Nominativübergeneralisierungen. Aber auch der Gebrauch des Akkusativs wird von FAL überdehnt, wie an der Äußerung *unse Katze guck auch immer aus den Fenster aus* deutlich wird. Der Akkusativ wird zu diesem Zeitpunkt auch korrekt eingesetzt, z.B. *und dann hab ich den gestreichelt, den klein'n Hund.* An vielen Äußerungen aus dieser Zeit kann beobachtet werden, dass FAL außerdem Probleme mit der korrekten Realisierung der Verbalendung der zweiten und dritten Person Singular sowie mit der Gestaltung des Partizip Perfekts zu haben scheint, z.B.:

(74)

a) *wenns du den manchmal mitnehms, dann nehms du auch den Koffer mit*;

b) *wenn er sein Bruder siehs?*

c) *Papa hat die bastelt.*

Parallel zu diesen defizitären Formen verwendet FAL aber immer auch korrekte Bildungen des Partizip Perfekts und korrekte Verbalendungen.

Mit 2;10, etwa vier Wochen später, stagnieren zwar größtenteils die Zahlen der verwendeten NP-Formen, doch FAL zeigt erstmalig die NP *drei* plus Nomen und steigert die Verwendung der mehrgliedrigen NPs. Die Zahl der Spontanbildungen in diesem Mitschnitt steigt auf 25, mit 2;9 waren es nur sieben gewesen. Die Grundtendenz bei der Schwerpunktverlagerung der sprachlichen Aufgabenbereiche, die schon in den Aufzeichnungen davor gefunden wurde, lässt sich auch für 2;10 festhalten. Sie verlagert sich möglicherweise noch ein wenig mehr in Richtung Komplexität von Satz und NP sowie Kreativität bei Spontanbildungen, etwa *Schrabbelpups, Aamusik* und *Omabursche.* Auch der Bereich der Artikulation scheint mittlerweile bei FAL schon so weit ausgebaut, dass das Kind in der Lage ist, anspruchsvolle Artikulationen wie *Pfannkuchen, Knochen* und

Erdbeer'n zu realisieren. An der Äußerung *meine soll Ewehr haben und keine Stole* zeigt sich aber deutlich, dass die korrekte NP-Struktur noch vorrangig vor der korrekten Artikulation verwirklicht wird. Erstmals in den Aufzeichnungen verwendet FAL nun NPs im Dativ, z.B. *auf dei'm Kopf*. Dennoch geht FALs tendenzielle Entwicklung nach wie vor zulasten der Kasuszuordnungen, aber auch die Kongruenz von Verb und Nomen bezüglich des Numerus zeigt mit 2;10 Auffälligkeiten, z.B.:

(75)

a)   *wohl is die Batterien alle*;

b)   *da drin sind eine Aafrau.*

Des Weiteren kommt es in diesem Protokoll zu Pluralübergeneralisierungen, wie *Sauriers* und *Stinkers*[43].

Während der beiden letzten Aufnahmen, die von FAL im Alter von 3;0 und 3;1 gemacht wurden, steigt die Zahl des bestimmten Artikels plus Nomen von 57 auf 133 Verwendungen. Auch die NPs unbestimmter Artikel, *kein, dein, unser* plus Nomen, PPs und dreigliedrige NPs kommen in diesen beiden Protokollen im Vergleich zu 2;10 häufiger vor. Mit 3;1 benutzt FAL erstmalig in den Aufzeichnungen die NP *euer* plus Nomen und verwendet 59 Spontanbildungen, der absolute Höchststand seiner bisherigen Entwicklung. Welche weiteren Aufgabenbereiche, neben NP-Quantität und -Vielfalt, stehen in den beiden letzten Mitschnitten nun im Vordergrund und zulasten welcher sprachlichen Bereiche geht diese Entwicklung? FAL realisiert in beiden Aufzeichnungen sehr viele Spontanbildungen. Einige Beispiele zeigen FALs Kreativität und sein Bedürfnis, für Gegenstände bzw. Kommunikationssituationen Bezeichnungen zu finden, die im deutschen Wortschatz eventuell nicht besetzt sind. Auffällig ist dabei FALs Neigung zu Fäkal- und Kraftausdrücken sowie die Existenz von Komposita, die aus mehreren Nomen zusammengesetzt sind, z.B. *Kackertieren, Sremannkopf* (3;0); *Kleckersau, Aalaster, Pimmelkind* (3;1). Es lässt sich außerdem eine hohe Komplexität in Bezug auf Satzbau und grammatische Strukturen beobachten. Mit 3;0 bildet er komplexe *Wenn-dann*-Konstruktionen, z.B.:

---

[43] Parallel dazu verwendet FAL aber auch die korrekten Formen, z.B. *alle die Saurier* und *mehr Stinker*.

(76) *und wenn der vor mein Zimmer i un da rummeckert, dann mach ich die Tür auf, sag „Weg du Viech".*

Einen Monat später versucht FAL unter anderem, die indirekte Rede zu realisieren, etwa

(77) *ich hab mal esagt, in dem Mülleimer da war ein Pups.*

Schwierigkeiten scheint FAL an beiden Punkten seiner Entwicklung mit der Kasuszuordnung zu haben. Es kommt immer wieder zu *n-/m-Confusion* und Nominativübergeneralisierungen.[44] Wie aus den oben genannten Beispielen hervorgeht, lässt FAL außerdem vor allem in längeren Äußerungen oft einige Buchstaben aus oder reduziert manche Worte, z.B. *i(st); is(t); un(d); nich(t);* [ə] für *du; ham* für *haben* oder [ɑ] *kleidet* für *verkleidet.* Auch das Partizip Perfekt kann von FAL nicht durchgehend korrekt gebildet werden, hin und wieder kann das Kind es nur mit einem *e*-Präfix realisieren. Abschließend bleibt noch zu sagen, dass FAL bis zu der letzten Aufnahme beachtliche Fortschritte im Bereich der Artikulation gemacht hat. Probleme bereiten ihm zu diesem Zeitpunkt aber noch Nomina, die mit [ʃv], [dr] oder [ʃn] beginnen, z.B.:

(78)

a)   *Schwanz* [zrɑn͡ts];

b)   *Drachenteppich* ['grɑχəntepʰɪç];

c)   *Schneemann* ['ʃreːman].

4.2.3 AL

In diesem Teil der Arbeit werden nun beispielhaft und auszugsweise Äußerungen aus der Tagebuchstudie von Elsen aufgeführt, die die hier beschriebenen Tendenzen der CHILDES-Kinder ergänzen sollen (vgl. Elsen 1991; 1999). Da diese Studie mehr Augenmerk auf die phonologische Entwicklung von AL legt als die CHILDES-Datenbank, lassen sich dort auch präzisere Angaben und Hinweise auf die Entwicklung des sprachlichen Aufgabenbereichs der Artikula-

---

[44] Parallel zu diesen Kasusfehlern benutzt FAL mit 3;0 aber immer auch korrekte Akkusativund mit 3;1 sogar zusätzlich korrekte Dativformen seiner NPs.

tion finden. Diese Erkenntnisse sollen nun einen Teil der Entwicklung verdeutlichen, der bei ANN und FAL in dieser Form nicht beobachtet werden konnte. Zuerst muss hier festgestellt werden, dass AL schon recht früh ein sehr hohes Mitteilungs- und Kommunikationsbedürfnis zeigt. Sie bildet zwar für das Nomen *Hund* die onomatopoetische Spontanbildung *Wauwau*, wagt sich aber auch heran an schwierige Artikulation wie:

(79)

a) *Hustensaft* [vuutatak] (1;5);

b) *Hubschrauber* [buɯθaja] (1;5);

c) *Schmetterling* [mɛdalə] (1;5).

An der realisierten Artikulation zeigt sich ALs Sensibilität für Prosodie, Silbenanzahl und Wortstruktur, die sie trotz mangelnder Artikulationsfähigkeiten zielsprachlich zu gestalten versucht. Ebenfalls eher früh beginnt AL eine formelhafte Bildung zu nutzen, die auch bei beiden CHILDES-Kinder beobachtet werden konnte: die *Wo*-Frage. Bereits mit 1;5 realisiert AL *wo ist der kleine Luftballon?* [vo gaɪʔ]. Auch mit 1;6 entwickelt sich diese Struktur kontinuierlich weiter, z.B.:

(80)

a) *wo Auto?* (1;6)

b) *wo's Elefant?* (1;6)

c) *wo's der Elefant?* (1;6).

Mit 1;11 schließlich kann AL innerhalb der *Wo*-Frage variablere und komplexere NPs realisieren, etwa:

(81)

a) *wo's die hin, Bohne?* (1;11)

b) *wo's da meine Tasche?* (1;11)

c) *wo's das A.s Brettchen?* (1;11).

Es zeigt sich, dass AL, ähnlich den Befunden, die bei ANN und FAL gesichert werden konnten, um 2;1 herum Fortschritte im Bereich des Satzbaus macht, dafür der sprachliche Aufgabenbereich der Flexion aber dem Kind noch eher Probleme in seiner Realisierung bereitet, z.B.:

(82)

a)   *Lego geschmeißt hat* (2;1);

b)   *heut auseschlafen habt, dann könn wir zu Alice geh'n* (2;1);

c)   *die Puppe is noch klein, wenn die groß is, dann kann die auch Auto fahr'n* (2;2).

An den oben stehenden Äußerungen ALs wird deutlich, dass das Kind vor allem in komplexen Satzstrukturen ähnliche Probleme mit der Realisierung des Partizip Perfekts zu haben scheint wie ANN und FAL (*auseschlafen*; *geschmeißt*). Aber auch komplexer Satzbau und *Dann*-Konstruktionen sind bei den CHILDES-Kindern zu beobachten. Typisch für die Realisierung eines komplexen Satzes scheint zudem auch die Auslassung einzelner Laute oder ganzer Infinitivendungen zu sein. Da das Hauptaugenmerk der Elsen-Untersuchung eher auf der lautlichen Entwicklung liegt, kann beispielsweise über Auffälligkeiten bei ALs Kasus-, Genus- und Numeruszuordnung im Großen und Ganzen nichts weiter berichtet werden.

5. Ergebnisse

Nachdem nun die wichtigsten Beobachtungen sowohl zur NP-Erwerbsreihenfolge als auch zur Interaktion sprachlicher Aufgabenbereiche dargestellt worden sind, sollen an dieser Stelle daraus aussagekräftige Schlussfolgerungen zu den beiden Schwerpunkten gezogen und formuliert werden. Dabei wird wieder mit den Gemeinsamkeiten in der NP-Erwerbsreihenfolge der untersuchten Kinder begonnen, bevor dann auf die Unterschiede in der Erwerbsreihenfolge und den *Complexity/Fluency Trade Off* eingegangen wird.

5.1 Erwerbsreihenfolge der NP

5.1.1 Gemeinsamkeiten der Entwicklung

An dieser Stelle soll überblicksartig ein Ergebniskatalog bezüglich der NP-Erwerbsreihenfolge den Einstieg erleichtern.

1. Der Erwerb der NP beginnt mit einfachen Formen und entwickelt sich nach und nach weiter, hin zu sehr komplexen NP-Formen; auch mehrere NPs werden dann innerhalb einer Äußerung realisiert. Die einzelnen Entwicklungsschritte gehen fließend ineinander über.[45]

2. Die Konstituenten, die ANN und FAL in ihren NPs vor das Nomen stellen, werden in den Aufzeichnungen davor noch separat ohne Nomen realisiert. Auch das Nomen steht bei beiden Kindern anfangs ohne direkten Begleiter.[46]

3. Jedes Kind lässt einen eigenen Einstiegsmodus oder Erwerbsstil erahnen, eine Eigenheit beim NP-Erwerb.

4. Bei beiden Kindern tauchen neben dem unbestimmten und bestimmten Artikel plus Nomen die NPs Adjektiv plus Nomen, *anderer* plus Nomen und PPs in nur einem Entwicklungsschritt und Aufzeichnungszeitraum auf.

5. Das quantitative Verhältnis der NPs bestimmter Artikel plus Nomen und unbestimmter Artikel plus Nomen dreht sich bei ANN und FAL nach an-

---

[45] Auf Interaktion, Transition und Variation soll aufgrund der hohen Komplexität dieser Phänomene in jeweils gesonderten Punkten der Untersuchung eingegangen werden (vgl. die Punkte 4.2, 5.2 und 6.2).

[46] Vgl. Tabelle 5.

fänglicher Dominanz des unbestimmten Artikels um zugunsten des bestimmten Artikels.

6. Bevor die Konstituenten der NP vollständig realisiert werden können, kommt es offenbar sowohl zu reduzierten Konstituenten vor dem Nomen als auch zu reduziert realisierten Nomina.[47] Diese Tendenz zeigt bei beiden Kindern ähnliche Formen der Reduktion.

7. Die NPs *mein* plus Nomen, *kein* plus Nomen und dreigliedrige NPs treten zeitlich sehr nah beieinander zum ersten Mal in den Protokollen auf.

8. In dem beobachteten Zeitraum treten in puncto Possessivpronomen augenscheinlich erst *mein* plus Nomen, dann *dein* plus Nomen und später *sein* plus Nomen auf. *Ihr* plus Nomen, *unser* plus Nomen und *euer* plus Nomen tauchen später oder bis 3;1 gar nicht auf.

9. *Zwei* plus Nomen wird von ANN und FAL erstmals vor *drei* plus Nomen realisiert.

10. Bei der allmählich zuverlässiger werdenden Deklination der NPs begehen beide CHILDES-Kinder scheinbar die gleichen Arten von Fehlern, und zwar Genusfehler, *n-/m-Confusion* bzw. Akkusativübergeneralisierung, Nominativübergeneralisierung und fehlende Kongruenz. Diese nehmen mit zunehmendem Entwicklungsstand allerdings nicht zwangsläufig kontinuierlich ab.[48] Genusfehler treten dabei früher auf als Kasusfehler, die dann aber während der NP-Entwicklung zunehmen, während Genusfehler tendenziell eher abnehmen.

Aus diesen Ergebnissen lässt sich jeweils für beide CHILDES-Kinder eine relativ genaue Erwerbsreihenfolge der untersuchten NP-Formen erstellen, wie sie in Tabelle 10 und 11 dargestellt sind:

---

[47] Vgl. Tabelle 6.
[48] Vgl. die Daten in den Tabellen 7, 8 und 9.

Tabelle 10: NP-Erwerbsreihenfolge bei ANN

ANN	
1;4	Separate Nomina
1;5	Separat: bestimmter Artikel, *meiner, alle, dies, mehr*, Adjektive; komplexe Verben; bestimmter Artikel plus Nomen (selten)
1;8	*mehr* plus Nomen; *noch mehr* plus Nomen
1;9	Unbestimmter Artikel plus Nomen; seltener: bestimmter Artikel plus Nomen; *anderer* plus Nomen; Adjektiv plus Nomen; PP
1;10	Bestimmter Artikel plus Nomen; *mein* plus Nomen; *kein* plus Nomen; dreigliedrige NP; Präposition plus Nomen
2;1	*zwei* plus Nomen
2;2	*dein* plus Nomen; *sein* plus Nomen
2;5	*ihr* plus Nomen; *alle* plus Nomen; mehrgliedrige NP
2;7	*drei* plus Nomen
3;1	*unser* plus Nomen

Tabelle 11: NP-Erwerbsreihenfolge bei FAL

FAL	
1;5	Separate Nomina
	Separate Nomina plus Verbpartikeln
1;6	Unbestimmter Artikel plus Nomen
1;9	*mehr* plus Nomen
1;10	Bestimmter Artikel plus Nomen; *anderer* plus Nomen; Adjektiv plus Nomen; PP
2;0	*mein* plus Nomen; *alle* plus Nomen; *kein* plus Nomen; dreigliedrige NPs
2;1	*dein* plus Nomen
2;3	Präposition plus Nomen
2;4	*sein* plus Nomen
2;5	*unser* plus Nomen
2;9	*zwei* plus Nomen; mehrgliedrige NPs
2;10	*drei* plus Nomen
3;1	*euer* plus Nomen

Wie schon angedeutet, kann es sich aufgrund der angewendeten Methode zur Gewinnung der Gesprächsmitschnitte bei den hier genannten Zeitpunkten der ersten Verwendung nur um den Zeitpunkt handeln, an dem das Kind die entsprechende NP erstmals in den Protokollen gebildet hat. Die erste tatsächliche Realisierung der NP kann also vor dem Protokoll geschehen sein. Da dies aber für den Erwerb aller NPs gilt und der genaue Erwerbszeitpunkt in der vorliegenden Untersuchung keine allzu große Rolle spielt, es vielmehr um eine Erwerbsreihenfolge der NP geht, kann dieses methodische Problem vernachlässigt werden. Auf der Grundlage beider Erwerbsgerüste kann als Kernpunkt der Gemeinsamkeiten der beiden CHILDES-Kinder eine NP-Erwerbsreihenfolge erstellt werden, die die gemeinsame Entwicklung beider Kinder veranschaulicht:

1. Separate Nomina; auch separater Gebrauch anderer NP-Konstituenten
2. **Unterschied**: ANN verwendet den bestimmten Artikel plus Nomen vor dem unbestimmten Artikel plus Nomen; FAL verwendet zuerst den unbestimmten Artikel plus Nomen
3. *anderer* plus Nomen; Adjektiv plus Nomen; PP
4. *mein* plus Nomen; *kein* plus Nomen; dreigliedrige NPs; **Unterschied**: ANN bildet zuerst Präposition plus Nomen, erst dann *alle* plus Nomen, bei FAL verhält es sich umgekehrt
5. *dein* plus Nomen; *sein* plus Nomen; **Unterschied**: ANN produziert *zwei* plus Nomen vor diesen Possessivpronomina, FAL erst danach
6. *zwei* plus Nomen
7. Mehr als drei Konstituenten in der NP
8. *drei* plus Nomen
9. *unser* plus Nomen bzw. *euer* plus Nomen

5.1.2 Unterschiede zwischen den Kindern

Die oben gemachten Beobachtungen lassen aber auch einige Schlüsse zu Entwicklungsunterschieden zwischen den Kindern zu.

ANN beginnt, wie aus den Tabellen 3 und 4 ersichtlich wird, mit ihrer NP-Entwicklung früher als FAL. Nicht nur die ersten NP-Formen bildet sie früher, sondern auch mit den späteren NP-Entwicklungsschritten hinkt FAL jeweils etwas hinterher.

Die Diagramme 1 bis 3 lassen außerdem den allgemeinen Schluss zu, dass ANN bis zum Protokoll im Alter von 1;10 mehr *Tokens* und mehr verschiedene NP-Formen bildet als FAL; dieses Verhältnis kehrt sich aber ab 2;0 zugunsten FALs um.

Obwohl beide Kinder ähnliche Kasus- und Genusfehler machen, bleiben auch hier einige Unterschiede zu verzeichnen. Bei FAL fallen insgesamt mehr Fehler als bei ANN auf, während sie weniger Fehler in mehrgliedrigen als in zweigliedrigen NPs macht. [49]

Die analysierten Daten von ANN und FAL zeigen, dass beide Kinder Artikelwörter anfangs nicht vollständig realisieren, sondern teilweise reduzieren.

---

[49] Vgl. Tabelle 7, 8 und 9.

96

Dabei ist bemerkenswert, dass ANN zahlenmäßig mehr Artikel reduziert, obwohl FAL generell mehr *Tokens* äußert. Es besteht auch ein Unterschied darin, was die Kinder reduzieren. Beide reduzieren zwar am häufigsten den unbestimmten Artikel, aber ANN spart am zweithäufigsten am bestimmten Artikel, während FAL dies bei der Kategorie „Andere Artikel" tut. Außerdem lassen sich aus den Zahlen zu FALs Entwicklung mehr Schwankungen ablesen; er zeigt erst gegen Ende der Aufnahmen weniger Reduzierungen, während dies bei ANN bereits mit 2;3 der Fall ist.[50]

Trotz eines im Kern sehr ähnlichen Erwerbsgerüsts, das die NP-Entwicklung von ANN und FAL darstellt, gibt es auch Ergebnisse bezüglich geringfügiger Unterschiede in der chronologischen NP-Erwerbsreihenfolge. FAL zeigt, abweichend von seiner sonstigen Verzögerung in der NP-Entwicklung hinter ANN, die NPs *unser* plus Nomen sowie *viele* und *alle* plus Nomen viel häufiger und früher als ANN. *Euer* plus Nomen verwendet FAL offenbar mit 3;1 erstmals in den Protokollen, ANN hat diese NP noch gar nicht verwendet. Doch auch bei FAL gibt es eine NP-Form, die er während der gesamten Aufzeichnung scheinbar nicht benutzt: *ihr* plus Nomen, das von ANN mit 2;5 einmalig in den Protokollen realisiert wird. ANN verwendet außerdem die NP mit dem Zahladjektiv *zwei* deutlich früher als FAL.

Die Präsentation der Ergebnisse zur NP-Entwicklung soll abgeschlossen werden mit der Darstellung zweier unterschiedlicher Erwerbstypen, die mithilfe der Protokolldaten von ANN und FAL konstruiert werden konnten. Auf diese beiden Typen wird in Punkt 6.1.2 dieser Studie näher eingegangen und dargelegt, dass netzwerktheoretische Erklärungen die unterschiedlichen Entwicklungen plausibel erläutern können.

Wie schon beschrieben, bildet FAL in den Protokollen mehr NP-*Tokens*, macht mehr Kasus- und Genusfehler und reduziert weniger Artikel als ANN.[51] Mit kleineren Ausnahmen zeigt FAL alle Entwicklungsschritte zeitverzögert, er bildet viele NPs in einem Alter zum ersten Mal, in dem ANN sie bereits benutzt. Dem ist an dieser Stelle hinzuzufügen, dass FAL dreigliedrige NPs zwar erstmalig mit 2;0 realisiert, aber dafür insgesamt 152 NPs dieser Art während des

---

[50] Vgl. Tabelle 6.
[51] Vgl. Tabelle 3, 4, 6, 7 und 8.

beobachteten Zeitraums bildet. Mehrgliedrige NPs verwendet er ab 2;9 und bildet so in den letzten vier Protokollen sechs NPs dieser Form. An der Zusammenstellung der komplexen NPs im Anhang der Arbeit lässt sich die Vielfalt der von FAL gebildeten NPs veranschaulichen. Auch im Bereich der Spontanbildungen zeigt FAL eine außerordentliche Kreativität, wenn nicht sogar Aggressivität. An den folgenden beispielhaften Spontanbildungen lässt sich erkennen, welch unterschiedliche Fäkal- und Tabuausdrücke das Kind benutzt: *Chichipups*; *Pimmelbutter*; *Rummelelefant*; *Rummelameisen*; *Brötchenesser*; *Pimmelkind*; *Zauberessen* (alle 3;1). Insgesamt bildet FAL in allen Protokollen 154 Spontanbildungen.[52] Viele Spielsituationen während der Gesprächsmitschnitte wurden durch FAL immer wieder in eine bestimmte Richtung gelenkt, was sich in dieser Form bei ANN nicht beobachten ließ. Es ging oft um das Töten von Menschen und Tieren durch Waffen. FAL drückte oft Hass oder starke Abneigung gegen seine SpielpartnerInnen aus.

Im Gegensatz zu diesem Bild, das von FAL hier gewonnen wurde, steht in vielen Punkten das Bild, das von ANN gezeichnet werden kann. Ebenfalls bereits eingegangen wurde oben auf die Beobachtungen, dass ANN weniger NP-*Tokens* bildet, weniger Genus- und Kasusfehler macht, aber mehr Artikel reduziert als FAL.[53] ANN beginnt insgesamt mit ihrem NP-Erwerb vor FAL und scheint auch fast alle Entwicklungsschritte vor FAL zu durchwandern. Der Erwerb von bestimmtem und unbestimmtem Artikel plus Nomen geht bei ANN nahezu parallel vor sich. Diesem Bild von ANN kann nun hinzugefügt werden, dass das Kind weniger komplexe NPs sowie weniger vielfältige Kombinationen innerhalb der komplexen NPs benutzt. Dies bestätigen die folgenden Zahlen: ANN verwendet dreigliedrige NPs ab 1;10. Insgesamt bildet sie etwa 70 NPs dieser Art. Mehrgliedrige NPs realisiert das Kind ab 2;5, also in sieben Aufzeichnungsmitschnitten, nur sieben Mal. Auch die Aufstellung der von ANN verwendeten komplexen NP-Formen bestätigt die ausgeprägte Vielfalt von FALs Bildungen. ANN zeigt auch deutlich weniger Kreativität in den Bereichen Wortbildung und Lexikon sowie weniger bzw. kaum Aggressivität im Spiel. In allen Aufzeichnung zusammen realisiert ANN nur 28 Spontanbildungen. Mit 3;1

---

[52] Die Zahlen in dieser Zusammenstellung ergeben sich aus Tabelle 3 und 4.
[53] Vgl. Tabelle 3, 4, 6, 7 und 8.

bildet sie lediglich eine Kombination, die als Spontanbildung gewertet werden kann. Als auffällig kann abschließend bei ANN die Tatsache bezeichnet werden, dass sie viele NP-Konstituenten erst recht lange separat gebraucht, dann in Kombination in einer NP realisiert und, wie im Fall von *noch mehr* plus Nomen, ab einem gewissen Punkt der Entwicklung gar nicht mehr verwendet.[54] Dadurch entsteht der Eindruck, dass das Kind vorsichtiger und umsichtiger agiert als FAL. Ehe ANN neue NP-Formen realisiert, scheint sie sichergehen zu wollen und probiert die weniger anspruchsvollen Formen so lange, bis diese nahezu korrekt realisiert werden können, bevor sie sich an komplexere Formen wagt.

Wie sehen nun aber die Ergebnisse aus, die aus den Beobachtungen in Punkt 4.2 geschlussfolgert werden können? Was kann bezüglich des *Complexity/Fluency Trade Off* oder Interaktion, Transition und Variation sprachlicher Aufgabenbereiche festgehalten werden?

5.2 *Complexity/Fluency Trade Off* und NP-Schemata

Die Beobachtungen ergeben ein so vielschichtiges Bild der Entwicklung und Zusammenarbeit sprachlicher Aufgabenbereiche, dass ein ungefährer Überblick oder eine aussagekräftige Zusammenfassung nur in einer binären Unterscheidung (+/–) in Tabellenform zu schaffen ist:

---

[54] Vgl. Tabelle 5.

Tabelle 12:   Ungefähre Abfolge der aktiven sprachlichen Aufgabenbereiche zwischen
1;4 und 3;1 bei ANN

ANN		
Alter	**(+)**	**(−)**
1;5	NP-Struktur	Artikulation; Flexion
	NP-Struktur; einfache Flexion	Artikulation
	Wortbildung; Flexion	NP-Struktur; Artikulation; Satzbau
	Satzbau; NP-Struktur; Wort-bildung	Flexion; Artikulation
	Satzkomplexität; NP-Struktur	Artikulation
2;0	Wortbildung; Artikulation	NP-Struktur; Flexion; Satz-komplexität
	NP-Struktur; Satzkomplexität; Artikulation; Wortbildung	Flexion
	komplexe Verbformen; Satzstruktur	NP-Struktur; Kasuszuordnung
3;0		
3;1	NP-Struktur; Satzkomplexität; Teile der Verbflexion	Kasuszuordnung; syntaktische Struktur; vollständige Artikulation

Tabelle 13:   Ungefähre Abfolge der aktiven sprachlichen Aufgabenbereiche zwischen
1;4 und 3;1 bei FAL

FAL		
Alter	**(+)**	**(−)**
1;6/	NP-Struktur	Artikulation; Flexion
1;8	NP-Struktur; Flexion	Satzbau; Artikulation
	Wortbildung; NP-Struktur; Flexion; Satzbau	Artikulation
	Flexion	NP-Struktur und Satzbau stagnieren
	NP-Struktur	Flexion; Artikulation
2;0	Artikulation; NP-Struktur; Satz-komplexität	Genus- und Kasuszuordnung
	Satzkomplexität; Artikulation; Flexion; komplexe Verbformen	NP-Struktur
3;0	NP-Struktur; Artikulation; Satzbau; Wortbildung; komplexe	Kasus- und Genuszuordnung; vollständige Artikulation; Verb-
3;1	Verbformen	flexion

Bei beiden Kindern des CHILDES-Korpus lässt sich ein Zusammenspiel verschiedener Phasen der Schwerpunktverlagerung beobachten. Die deskriptive
Darstellung der Entwicklung (vgl. Punkt 4.2) der NP zeigt sehr anschaulich, wie
man sich ein solches Auf und Ab von Schwerpunkten, ein solches Verrücken
des Fokus vorzustellen hat. ANN und FAL machen abwechselnd in verschiedenen sprachlichen Aufgabenbereichen Fortschritte, verwerfen diese wieder, stagnieren in ihren Fähigkeiten und zeigen an anderer Stelle positive Entwicklungen.

100

Die verschiedenen Phasen sind in Tabelle 12 und 13 dargestellt; die Altersangaben sind in diesem Sinn nur als grobe Eckpfeiler zur besseren Orientierung zu verstehen, da in keinem Fall von einem exakten zeitlichen Nacheinander verschiedener Erwerbsschritte auszugehen ist. (+) steht dabei für sprachliche Aufgabenbereiche, die in der entsprechenden Phase im Vordergrund der Entwicklung stehen und in denen das Kind auffällige Fortschritte zeigt. Dies kann teilweise auch dadurch deutlich werden, dass dem Kind in diesem Bereich vermehrt Fehler unterlaufen, wenn es sich anfänglich mit dem neuen Bereich beschäftigt; daran zeigt sich, womit das Kind in seiner Entwicklung gerade „kämpft" oder woran es „arbeitet" und wofür es gerade ein Gefühl entwickelt. (–) steht dabei für Bereiche, in denen das Kind entweder Rückschritte zeigt oder momentan keine Fortschritte zu machen scheint. Die skizzenhafte Darstellung der NP beginnt bei beiden Kindern zu dem Zeitpunkt, an dem sie erste Entwicklungsschritte im Bereich der NP zeigen (1;5/1;8). Auffällig bei beiden CHILDES-Kindern ist in jedem Fall die Tatsache, dass die Weiterentwicklung der sprachlichen Aufgabenbereiche NP-Struktur, Flexion und Artikulation jeweils für sich so viel Verarbeitungsenergie benötigt, dass diese in keinem Entwicklungsstadium gleichzeitig Fortschritte zeigen. Vielmehr ist immer nur nur in maximal zwei dieser Bereiche eine Fortentwicklung sichtbar, während der/die restliche(n) Bereich(e) stagnieren oder sogar Rückschritte erfahren. Es lässt sich daher vermuten, dass es sich bei diesen Schwerpunkten um drei grundlegende und schwerwiegende sprachliche Aufgabenbereiche handelt, die zentral für die Entwicklung der Kinder sind. Was lässt sich außerdem noch an Gemeinsamkeiten zwischen beiden Kindern feststellen? Als gemeinsamer Kern beider Schwerpunktabfolgen kristallisiert sich in vorliegender Untersuchung folgende Übersicht heraus:

Tabelle 14:   Gemeinsamer Kern der Abfolge aktiver sprachlicher Aufgabenbereiche
                zwischen 1;4 und 3;1 bei ANN und FAL; Gegensatztrio

	(+)	(−)
1.	NP-Struktur; leichte Flexion	Artikulation
2.	Wortbildung	
3.	Satzbau	Flexion
4.	Satzkomplexität; komplexe Verbformen	NP-Struktur
5.	Satzkomplexität; komplexe Verbformen; NP-Struktur	Kasuszuordnung; vollständige Artikulation; Verbflexion
	NP-Struktur	**Flexion** **Artikulation**

Es lässt sich des Weiteren feststellen, dass zu Beginn der Entwicklung beider Kinder zuerst die Struktur der NP wichtig zu sein scheint und daran anschließend erste, vorsichtige Fortschritte im Bereich der Flexion erzielt werden. In beiden Fällen geht dies zulasten der Artikulation.[55] Daran anschließend kann beobachtet werden, wie zuerst Wortbildung und dann Satzbau erste Entwicklungsschritte machen. Beide haben ihre größten Sprünge allerdings erst gegen Ende des beobachteten Zeitraums. Des Weiteren kann man annehmen, dass ebenfalls erst später in der Entwicklung komplexere Verbstrukturen und komplexe Satzstrukturen im Mittelpunkt stehen, dies geschieht offensichtlich zulasten der NP-Struktur. Abschließend scheint auch diese wieder in den Fokus der Entwicklung zu rücken, vernachlässigt werden bis zuletzt zielsprachliche Kasuszuordnung und die Vollständigkeit der Lexeme, für die in komplexen Strukturen kaum Verarbeitungskapazität bleibt.[56]

Als ein weiteres Ergebnis bezüglich des *Complexity/Fluency Trade Off* [57] ist die Existenz von in den Protokollen gefundenen Formeln, späteren Schemata, festzuhalten. Zuerst einmal soll eine Übersicht gegeben werden über die beobachteten Schemata von ANN, FAL und AL und deren Entwicklung; die (netzwerktheoretische) Bedeutung dieser Formen für den Spracherwerb wird im nächsten Punkt erläutert.

---

[55] Die Artikulation zeigt erst ab Mitte bis hin zum Ende des beobachteten Zeitraums bedeutende Verbesserungen und Fortschritte.

[56] Von AL aus der Elsen-Tagebuchstudie ist in diesem Zusammenhang keine Skizze über Schwerpunktverlagerungen sprachlicher Aufgabenbereiche möglich.

[57] Mit *Complexity/Fluency Trade Off* ist das Zusammenspiel verschiedener sprachlicher Aufgabenbereiche gemeint, die um relativ geringe, noch eingeschränkte neuronale Verarbeitungskapazität kämpfen müssen; dementsprechend kann nicht jeder linguistischer Bereich in einer sprachlichen Äußerung realisiert werden. Detaillierter wird auf diesen Aspekt in Punkt 6.2 der Studie eingegangen.

Tabelle 15:   Schema-Typen mit Beispielen bei ANN

ANN (chronologisch)	
Schema A: *da/s* plus NP	
da plus Nomen	*da Tiger* (1,8)
da plus Adjektiv plus Nomen	*da nas Fieße* (Da nasse Füße) (1;9)
das plus unbestimmter Artikel plus Nomen	*das ein Hammer* (2;0)
das plus Possessivartikel plus Nomen	*des mein Teller* (2;0)
da noch plus unbestimmter Artikel plus Nomen	*da noch ein Bein* (2;0)
das plus unbestimmter Artikel plus Adjektiv plus Nomen	*un das ein grotes Sal* (Und ein großes Karussell) (2;1)
das is plus unbestimmter Artikel plus Nomen	*das is ein Igel* (2;5)
da war plus unbestimmter Artikel plus Nomen	*da war ein Igel* (2;5)
das plus bestimmter Artikel plus Nomen	*das der Kopf* (2;5)
das is plus Possessivartikel plus Nomen	*das is meine Mami* (2;7)
Schema B: (*noch*) *mehr* plus NP	
noch mehr plus Nomen	*noch mehr Baum* (1;8)
mehr plus Nomen	*mehr Wasser* (1;8)
Schema C: *wo* plus NP	
wo denn plus bestimmter Artikel plus Nomen	*wo denn das Wein?* (2;0)
wo denn noch plus unbestimmter Artikel plus Nomen	*wo denn noch ein Puzzle?* (2;0)
wo plus bestimmter Artikel plus Nomen	*wo die Puppe?* (2;0)
wo is plus bestimmter Artikel plus Nomen	*wo is das Tuch?* (2;0)
wo plus bestimmter Artikel plus Possessiv-artikel plus Nomen	*wo de mein Geld?* (2;0)
wo plus Possessivartikel plus Nomen	*wo mein Tee?* (2;1)
wo it plus Possessivartikel plus Nomen	*wo it mei Flase?* (wo ist meine Flasche?) (2;1)
wo komm/tank/soll plus bestimmter Artikel plus Nomen	*wo tank die Baby?* (2;1)
wo plus bestimmter Artikel plus Adjektiv plus Nomen	*wo de kleine Puppe?* (2;2)
wo i plus bestimmter Artikel plus *anderer* plus Nomen	*wo i der ande Mann?* (Wo ist der andere Mann?) (2;2)
wo s plus bestimmter Artikel plus Nomen	*wo s die Kuh?* (2;3)
wo sin plus bestimmter Artikel plus Nomen	*wo sin de flase?* (Wo sind die Flaschen?) (2;3)
wo s/sin plus Possessivartikel plus Nomen	*wo s/sin deine Kinderbücher?* (2;10)

Tabelle 16:   Schema-Typen mit Beispielen bei FAL

FAL (chronologisch):	
Schema A: *da*/*s* plus NP	
da plus Nomen	*da Jacke* (1;9)
das plus unbestimmter Artikel plus Nomen	*das ein Schaf* (2;1)
das plus Possessivartikel plus Nomen	*das mein Kaffee* (2;1)
das is plus unbestimmter Artikel plus Nomen	*das is ein Haus* (2;1)
das is plus Possessivartikel plus Nomen	*das is mein Essen* (2;1)
das is plus Nomen plus *is das*	*das is Walnüsse is das* (2;1)
da plus bestimmter Artikel plus Nomen	*da die Kaffeekanne* (2;3)
da sin plus bestimmter Artikel plus Nomen	*da sin die Tigers* (2;3)
da s plus unbestimmter Artikel plus Nomen	*da s ein Pferd* (2;4)
da s plus bestimmter Artikel plus Nomen	*da s die Frau* (2;4)
das s plus bestimmter Artikel plus Adjektiv plus Nomen plus *da*	*das s der dicke Papa da* (2;4)
das sin plus bestimmter Artikel plus Nomen	*das sin die Waschbären* (2;5)
das plus *kein* plus Nomen	*das kein Kind* (2;5)
das s plus unbestimmter Artikel plus Nomen	*das s ein Tiger* (2;5)
Schema B: NP plus *ist*/*sind das*	
Nomen plus *da*	*Kuh da* (1;10)
unbestimmter Artikel plus Nomen plus *is das*	*ein Mensch is das* (2;0)
Nomen plus *sin da*s	*Katzen sin das* (2;10)
schöner plus Nomen plus *is das*	*schöner Löwe is das* (2;0)
bestimmter Artikel plus Nomen plus *das*	*der Huhn das* (2;3)
Adjektiv plus Nomen plus *sin da*	*klein Kücken sin da* (2;4)
kein plus Nomen plus *is das*	*kein Feuerwehr is das* (2;4)
Nomen plus *war das*	*Blumei war das* (Blume war das) (2;4)
ganz viel plus Nomen plus *sin da*	*ganz viel Fanten sin da* (ganz viele Elefanten sind da) (2;4)

Tabelle 17: Schema-Typen mit Beispielen bei AL

AL (chronologisch)	
Schema: *wo* plus NP	
wo plus Nomen	*wo Auto?* (1,6)
wo s plus Nomen	*wo s Fant?* (wo ist Elefant?) (1;6)
wo s plus bestimmter Artikel plus Nomen	*wo s ta Fant?* (wo ist der Elefant?) (1;6)
wo s plus *da* plus Possessivartikel plus Nomen	*wo s da meine Tasche?* (1;11)

Anhand der gemachten Beobachtungen kann gefolgert werden, dass diese herausragenden Formen auf eine bestimmte Art und Weise, die in Punkt 6.2.2 der Untersuchung näher beleuchtet werden soll, den NP-Erwerb erleichtern. Sie zeigen eine spezielle Entwicklung, stehen nämlich erst – wie erstarrt – nur mit einem bestimmten Nomen und später mit vielen anderen, wobei sie nach einer Zeit „aufgetaut" und an die syntaktischen Gegebenheiten und Anforderungen angepasst – generalisiert – zu werden scheinen. Dabei dürften sowohl die Bedeutung als auch die syntaktischen Eigenschaften transparent werden, sodass es im Laufe des Spracherwerbs immer seltener zu Fehlern bei der Realisierung der Numeruskongruenz innerhalb ehemals starrer Bildungen kommt. Die Schema-Verwendung könnte auf diese Weise den Übergang von Ein- hin zu Mehrwortäußerungen und somit den gesamten Ablauf des Spracherwerbs erleichtern Außerdem fördern sie die optimale Umsetzung anderer an der entsprechenden Äußerung beteiligter Aufgabenbereiche. So kann etwa ein Nomen, das im Rahmen eines Schemas vorkommt, auffällig oft besser artikuliert werden als im Rahmen einer anderen nicht schematischen NP.

Wie lässt sich das Phänomen der Schemata erklären? Und wie könnte der Generalisierungsprozess im Detail aussehen und funktionieren? Der nächste Punkt der Studie zeigt, dass erst netzwerktheoretische Ansätze in der Lage sind, die NP-Entwicklung im Zusammenhang plausibel zu erklären. Außerdem können in diesem Zusammenhang relevante Studien zur zusätzlichen Klärung der Phänomene herangezogen werden.

6. Netzwerktheoretische Erklärungen und Einordnung

6.1 Erwerbsreihenfolge der NP

6.1.1 Gemeinsamkeiten

Hier werden nun die deskriptiven Ergebnisse theoretisch erklärt, und die vorliegende Studie kann zeigen, dass netzwerktheoretische Annahmen – im Gegensatz zur Generativen Grammatik – in der Lage sind, alle beobachteten Phänomene plausibel einzuordnen. Es werden zuerst, ergänzend zu Kapitel 2.3, einige Anmerkungen zu den Annahmen der Netzwerktheorien bezüglich der Funktion des neuronalen Netzwerks eingefügt, ehe diese netzwerktheoretischen Grundlagen auf das gemeinsame Erwerbsgerüst und andere Gemeinsamkeiten zwischen ANN, FAL und auch AL bezogen werden.

6.1.1.1 Die Funktion des neuronalen Netzwerks und der NP-Erwerb im Allgemeinen

Netzwerktheoretische Annahmen gehen davon aus, dass der Spracherwerb ein Teil der gesamten kognitiven Entwicklung ist. Die strukturverarbeitenden Mechanismen, die dem Spracherwerb zugrunde liegen,[58] sind für das Funktionieren des gesamten kognitiven Systems verantwortlich. Aufgabenspezifische Bereiche, von denen in dieser Arbeit oft die Rede ist und deren Interaktion in Punkt 4.2 beobachtet wird, sind nicht unabhängig voneinander zu begreifen, sondern beeinflussen sich gegenseitig. Angeboren sind, nach netzwerktheoretischer Einschätzung, „generell wirksame Verarbeitungsprinzipien wie etwa das Erkennen von Mustern, deren Analyse, Abstraktion und Generalisierung. Dabei entstehen langsam Kategorien und Strukturen, wobei Schwankungen auftreten" (Elsen 1999: 207). Der Erwerb von Struktur kann als Resultat ständiger, aktiver Informationsverarbeitung unter Einflussnahme von (sprachlicher) Umwelt betrachtet werden. Diese Informationsverarbeitung ist netzwerkartig organisiert. In den neuronalen Netzwerken im Gehirn ist Wissen in Einheiten und Verbindungen zwischen Einheiten realisiert. „Die Knoten sind selbst als Repräsentation von distributiver Information aufzufassen" (Elsen 1999: 208). Jeder Knoten verfügt über ein Grundaktivierungsniveau, das von vorheriger Aktivierung bestimmt ist.

---

[58] Sie werden in Punkt 6.2.2 in Bezug auf die Schema-Entstehung beschrieben.

Je öfter ein Knoten aktiviert wird, desto höher ist das Grundaktivierungsniveau und desto sicherer funktioniert der Zugriff auf den Knoten. Information fließt kaskadenartig im neuronalen Netzwerk. Dies bedeutet, dass immer auch ein Nachbarknoten mitaktiviert wird. Hat dieser konkurrierende Nachbarknoten ein höheres Grundaktivierungsniveau, wird er eher aktiviert als der eigentlich richtige Knoten, und es kommt zu einer Fehlaktivierung. Die (sprachlichen) Aufgabenbereiche stehen miteinander in Verbindung und gehen ineinander über. Die Aktivierung aller Ebenen erfolgt stets gleichzeitig, und Interaktion ist deshalb immer gegeben. In diesem Zusammenhang sind Wörter und Phoneme – und auch NPs – als mentale Einheiten und komplexe Aktivierungsmuster zu begreifen (vgl. allgemeine kognitive Linguistik, z.B. Pospeschill 2004 und Schwarz 1992). Wird eine NP-Form immer wieder aktiviert und verarbeitet, wird also immer wieder ein Aktivierungspfad beschritten, so wird dieser immer weiter „ausgetreten". Konkurrierende Verbindungen werden, je öfter der richtige Pfad genommen wird, immer seltener aktiviert, bis sie gar nicht mehr auftauchen. Dies geschieht nach und nach und erklärt Phänomene wie Variation und Transition. Auch die Bedeutung der Inputfrequenz wird dadurch verständlich. Je öfter das Kind eine NP hört und verarbeitet, desto schneller bildet sich ein eigener Aktivierungspfad. Wie lässt sich nun mit diesem Vorwissen um neuronale Netzwerke und deren Funktion das in Punkt 5.1.1 vorgestellte gemeinsame Erwerbsgerüst von ANN und FAL netzwerktheoretisch einordnen?

Die Beobachtung, dass alle drei Kinder mit einfachen NP-Formen starten und nach und nach immer komplexere NP-Bildungen realisieren, lässt sich einleuchtend mit der anfangs noch eingeschränkten Verarbeitungskapazität erklären. Das neuronale Netzwerk bildet sich im Laufe der allgemeinen kognitiven Entwicklung der Kinder immer weiter aus. Je öfter Kinder in dem an sie herangetragenen Input NPs hören und auch verarbeiten, desto schneller baut sich das neuronale Netzwerk aus, und desto besser können die Kinder spezielle Aktivierungspfade bilden. Diese anspruchsvoller werdenden Aktivierungspfade ermöglichen die Realisierung immer komplexer gestalteter NP-Formen. Dass die Übergänge des Gebrauchs verschiedener NP-Formen fließend sind und es auch immer wieder zu rückschrittlich wirkenden, falschen Formen kommt, liegt daran, dass der Spracherwerb und insgesamt die kognitive Entwicklung keineswegs einen modulhaften Charakter haben können. Der Erwerb verschiedener Formen kann nicht präzise und schnell nacheinander erfolgen. Vielmehr interagieren sämtliche (sprachlichen) Aufgabenbereiche, weshalb es bei der Realisierung einer NP-Form immer wieder zu Verschiebungen des gerade fokussierten Aufgabenbereichs kommt. Es entsteht auf diese Weise zwar eine ungefähre Abfolge des NP-Erwerbs, aber durch den interaktiven Charakter der Entwicklung lassen sich auch die häufigen rückschrittlichen Formen und das Ineinanderübergehen verschiedener NP-Entwicklungsschritte erklären. Fälschlich aktivierte Knoten können noch lange nach dem vermeintlich sicheren Erwerb einer Form auftauchen. Ganz auszuschließen ist das auch dann nicht, wenn eine NP-Form eigentlich schon korrekt realisiert wird. Denn jede Äußerung erfordert aufs Neue eine Entscheidung, welcher Aufgabenbereich im Mittelpunkt der NP-Realisierung stehen soll. Anfangs können eben nicht alle sprachlichen Aufgabenbereiche korrekt verwirklicht werden, sondern nur die, die sich in diesem Wettstreit oder Zusammenspiel „durchsetzen" können oder Vorrang haben.

6.1.1.2   Das gemeinsame Erwerbsgerüst

Der gemeinsame Kern, der sich aus den beiden Erwerbsgerüsten abstrahieren lässt und in Punkt 5.1.1 dargestellt ist, könnte folgendermaßen netzwerktheoretisch erklärt werden: Alle drei Kinder zeigen erst den separaten Gebrauch von NP-Konstituenten, bevor sie diese in Verbindung mit einem Nomen benutzen. Auch dies könnte als eine Folge der anfangs noch eingeschränkten Verarbeitungskapazität des neuronalen Netzwerks verstanden werden. Die Energie, die dem Kind zur Verarbeitung und Bildung von NP-Formen zur Verfügung steht, reicht noch nicht dafür aus, dass die vollständige NP-Form zu bilden. Die Energie ermöglicht es eventuell nur, die einzelnen NP-Konstituenten, also entweder Nomina oder etwa Artikelwörter, zu realisieren. Dem hinzuzufügen und durchaus denkbar als Begründung für den anfangs separaten Gebrauch wäre auch, dass das Kind beginnt, die aus dem Input gezogenen NP-Formen aufzuarbeiten. Das separate Realisieren von NP-Konstituenten spricht möglicherweise für die anfängliche Analyse und die beginnende Transparenz der einzelnen NP-Bestandteile. Durchschaut das Kind schließlich die Funktion und die Struktur der NPs, so ist es auch selbst in der Lage, einfache und später sehr komplexe

NP-Bildungen zusammenzusetzen. Auf den Gebrauch der zu Beginn stark reduzierten Formen des bestimmten und unbestimmten Artikels plus Nomen folgen
bei ANN und FAL zwei Entwicklungsschritte, die dadurch gekennzeichnet sind,
dass sie mehrere neue NP-Formen innerhalb eines Protokolls einführen. Selbst
wenn diese Formen seit dem vorherigen Gesprächsmitschnitt über vier Wochen
verteilt erworben worden sind und im darauffolgenden Protokoll nur der Eindruck eines einzigen großen Entwicklungsschritts erweckt wird, kann doch von
einem relativ zeitnahen Erwerb dieser jeweils drei NP-Formen ausgegangen
werden. Es handelt sich dabei einerseits um *anderer* sowie Adjektiv plus Nomen
und einige PPs und andererseits um *mein* sowie *kein* plus Nomen und dreigliedrige NPs. Diese beiden Entwicklungsschritte fallen in den Tabellen 3 und 4 jeweils als dominierendes Plateau in der NP-Entwicklung auf. Dass beide Kinder
diese Entwicklung beobachten lassen, spricht für das Wirken grundlegender
kognitiver Verarbeitungsmechanismen, die jeder Mensch besitzt und mit denen
jeder Mensch arbeitet. Das kognitive System, das auch der NP-Entwicklung
zugrunde liegt, kann sowohl Gemeinsamkeiten als auch Unterschiede im
Spracherwerb erklären. Jedes Kind bringt zu diesen grundlegenden Verarbeitungsmechanismen zusätzlich einige Faktoren mit, die von Mensch zu Mensch
unterschiedlich sind. Dabei kann es sich beispielsweise um den Input, der an das
Kind herangetragen wird, um Aspekte der Sozialisation oder um unterschiedliche Lernstile handeln, mit denen das Kind an den Spracherwerb herangeht und
mit den gegebenen Möglichkeiten und Instrumenten arbeitet. Diese Faktoren
können geringfügige Unterschiede im NP-Erwerb erklären, es wird aber auch
verständlich, warum es häufig grundlegende Gemeinsamkeiten im Spracherwerb
gibt.[59]

Nach *mein* und *kein* plus Nomen, tauchen bei beiden CHILDES-Kindern in
dieser Reihenfolge *dein*, *sein* und erst um einiges später *unser* und *euer* plus
Nomen auf. Mills geht von einem zeitnahen Erwerb der häufig auftretenden
Formen *eine* und *meine* aus, da diese, so Mills, miteinander verwandt sind: „The
most common early form of the indefinite article observed is *eine* with the re-
lated forms *meine* ‚my' and *diese* ‚this'" (Mills 1986: 64 und vgl. auch Mills

---

[59] Auf die Unterschiede, die die gemeinsame Erwerbsreihenfolge an drei Stellen zerklüften,
soll im nächsten Punkt eingegangen werden.

1985: 177). *Zwei* plus Nomen zeigen beide CHILDES-Kinder vor *drei* plus Nomen. Diese NP-Reihenfolge hat auch Bittner in ihrer Untersuchung mehrerer Kinder beobachten können. Sie erklärt die chronologische Reihenfolge der Quantoren *ein, kein, zwei* und *drei* plus Nomen mit dem Erwerb des Konzepts der Quantifikation nominaler Referenten. Das Kind unterteilt mit jeder der neuen Konstituenten, die es erwirbt, die Menge der bezeichneten Dinge in quantifizierende Untergruppen. Als Reihenfolge dieser Unterteilungen nimmt Bittner an: ‚eins' gegenüber ‚nicht eins' (*ein* und *kein* plus Nomen), ‚weniger als eins' gegenüber ‚mehr als eins' (*kein* und *mehr/viele* plus Nomen), ‚unbegrenzte Menge' gegenüber ‚begrenzte Menge' (*mehr/viele* und *zwei/drei* plus Nomen) sowie ‚eins mehr als eins' gegenüber ‚zwei mehr als eins' (*zwei* und *drei* plus Nomen) (vgl. Bittner 1999 und auch Elsen 2000). Außerdem geht Bittner auch von einer Entfaltung grammatischer Relationen im NP-Erwerb in Form von Referenz aus. Die von ihr beobachtete Reihenfolge des NP-Erwerbs gestaltet sich folgendermaßen: Zuerst wird das isolierte Nomen verwendet, danach tauchen der unbestimmte Artikel, der Possessivartikel *mein* und der bestimmte Artikel plus Nomen auf.[60] Am Ende konnte Bittner den Erwerb dreigliedriger NPs beobachten. Sie führt diese Reihenfolge auf den Aspekt der Referenz zurück. Bei den isolierten Nomen hat die NP die Eigenschaften „nominal" und „referiert" auf die konzeptuellen Eigenschaften einer Klasse. Der Erwerb des unbestimmten Artikels, der Possessivartikel und Adjektive plus Nomen zeigt, so Bittner, die Eigenschaften „nominal" und „definit", die genannten NPs beziehen sich also auf irgendeinen Vertreter oder eine Teilmenge der Klasse. In einem letzten Entwicklungsschritt erwerben, so Bittners Vermutung, die Kinder den bestimmten Artikel plus Nomen. Diese NP hat die Eigenschaften „nominal", „definit" und „bekannt" und referiert auf einen individuellen Vertreter oder eine bestimmte Teilmenge der Klasse: „Der Erwerb der bestimmten Artikel und ihre Integration in die NP eröffnen die Möglichkeit, sprachlich zwischen der Referenz auf einen nicht näher bzw. nicht genau bestimmten (definiten) Vertreter eines nominalen Konzepts (*ein Schuh, mein Schuh*) und der Referenz auf einen individuellen (definiten und bekannten) Vertreter (*der Schuh*) differenzieren zu

---

[60] Auch Mills vermutet hier eine ähnliche Tendenz bezüglich des Erwerbs des unbestimmten vor dem bestimmten Artikel plus Nomen (vgl. Mills 1986: 67).

können. Das Merkmal [+bekannt] schließt die Individuation des Referenzobjekts ein. Mit dieser weiteren Spezifizierung ist der Referenzraum der NP in seinen Grundzügen zielsprachlich grammatisch differenziert und strukturiert" (Bittner 1998: 275).

Auch die Ergebnisse Szaguns bezüglich des Grammatikerwerbs des Deutschen ergänzen das Bild des NP-Erwerbs, das in der vorliegenden Untersuchung mithilfe der drei Kinder gezeichnet werden kann. Szagun berichtet ebenfalls von anfänglich separaten Nomina, aber auch von einzelnen separaten Wörtern wie *ab, auf, mehr, auch, da, hier* und *nein*. Sie teilt den Grammatikerwerb des Deutschen ein in Einwortäußerungen, Zweiwortäußerungen, Drei- und Mehrwortäußerungen und komplexe Strukturen. Diese Einteilung ist mit dem Hinweis versehen, dass es sich dabei nicht zwangsläufig um Entwicklungsstufen handeln muss. Aber „selbstverständlich ist es auch nicht so, daß Kinder plötzlich von Einwortäußerungen zu Zweiwortäußerungen übergehen, sondern beide gibt es nebeneinander, bloß werden die Zweiwortäußerungen mehr, die Einwortäußerungen weniger. Das gleiche trifft auf Zwei-, Drei- und Mehrwortäußerungen zu" (Szagun 1986: 29).

6.1.1.3 Reduzierte NP-Konstituenten

Ein weiteres Phänomen des Spracherwerbs, das bei den Sprachaufnahmen von ANN und FAL, aber auch in der Tagebuchstudie zu AL beobachtet werden konnte, betrifft die Reduktion von einerseits Konstituenten vor dem Nomen und andererseits Nomina in NPs selbst. Alle drei Kinder zeigen reduzierte vor vollständig artikulierten Artikeln in den NPs, und es kann davon ausgegangen werden, dass nach den Protokollen mit besonders vielen reduzierten Artikeln (1;9/10, 2;2–2;4 und 2;9/3;1) mit zunehmendem Alter tendenziell immer weniger Artikel reduziert werden, auch wenn es nach wie vor noch zu diesen Fehlern kommt. Die Schwankungen in den Fehlerzahlen (Variation) sowie der langsame, fließende Übergang von reduzierten zu korrekten Formen (Transition) sind mit der oben dargestellten Funktion des neuronalen Netzwerks, vor allem mit der Existenz von rivalisierenden Knoten, bereits erklärt. Auch Szagun und ebenso Mills gehen von der anfänglichen Reduktion der Konstituenten vor dem Nomen einer NP aus. Beide berichten im Zusammenhang mit dem Auftreten der Zweiwortäußerungen, das sie für das Alter zwischen 1;6 und 2;3 vermuten, von zu [də] und [(ə)n]/[n] reduzierten Artikeln (vgl. Szagun 1986: 31 und Mills 1986: 63–65). Szagun unternimmt zudem den Versuch, diese Beobachtung mit den *Operating-Principles* von Slobin zu erklären. Slobin „untersucht an verschiedenen Sprachen die *Language-Making Capacity* (LMC) der Kinder. Das sind Wissenssysteme, die für die Verarbeitung von Sprache prädestiniert sind. Er führt dazu verschiedene Prozeduren bzw. Strategien auf, die *Operating Principles* (OP), die für das Erkennen, die Analyse und den Gebrauch von Sprache verantwortlich sind [...]" (Elsen 1999: 20). Operationsprinzip E geht dabei auf die offensichtlich wahrnehmbare Markiertheit zugrunde liegender Bedeutungsrelationen ein. Universale E 1 nimmt an, dass Kinder „solche Bedeutungen früher markieren, deren morphologische Realisierungen perzeptuell deutlich markiert sind" (Szagun 1986: 56). Markierungen am Artikel einer NP sind demnach weniger wahrnehmbar, weil Artikel unbetont vor einem Nomen stehen. Diese perzeptuelle Unauffälligkeit könnte zu einer reduzierten Wiedergabe der Artikel führen. FAL und ANN zeigen in diesem Zusammenhang aber auch reduzierte Nomina, die nach ähnlichen Prinzipien vereinfacht zu sein scheinen. Auch hier würde das Operationsprinzip E von Slobin eine Erklärung bieten. Beide Kinder können augenscheinlich nur die intonatorisch markierten Teile der Nomina behalten und realisieren.

6.1.1.4 Genus- und Kasusfehler

Als Nächstes soll an dieser Stelle auf die bei ANN und FAL in Punkt 4.1 beobachteten Genus- und Kasusfehler näher eingegangen werden. Ein ausführlicher Einblick in die gefundenen Schwankungen bezüglich der verschiedenen Fehlerarten bei beiden Kindern wurde auch im Zusammenhang mit der Darstellung der Schwerpunktverlagerungen sprachlicher Aufgabenbereiche in Punkt 4.2 gewährt. Beide Kinder begehen in zweigliedrigen NPs mehr Fehler als in mehrgliedrigen. Es bleibt in diesem Zusammenhang zu vermuten, dass dies die Folge der quantitativen Verteilung beider NP-Arten im Input sein könnte. Beide Kinder bilden in den Gesprächsmitschnitten deutlich mehr zweigliedrige als mehrgliedrige NPs und machen deshalb wohl dort auch mehr Fehler. Zu beachten ist allerdings, dass allgemein bei mehrgliedrigen NPs mehr Fehler gemacht werden können als bei zweigliedrigen, da ja mehr als zwei NP-Konstituenten in Genus und Kasus aufeinander abgestimmt werden müssen. Eine weitere Gemeinsamkeit ist bezüglich der zahlenmäßigen Entwicklung während des beobachteten Zeitraums zu erkennen. Beide Kinder zeigen Schwankungen in den Fehlerzahlen und machen mit 3;1 am meisten/zweitmeisten Fehler während des beobachteten Zeitraums. Dass die Anzahl der Genus- und Kasusfehler während der sprachlichen Entwicklung der Kinder stark schwankt, hängt vermutlich mit dem interaktiven Charakter des Spracherwerbs zusammen. Es wird anhand dieser Schwankungen deutlich, dass die Kinder zwischen 2;7 und 3;1 in dem Bereich der Kasus- und Genuszuordnung, also der Flexion, arbeiten und Fortschritte, aber genauso auch wieder Rückschritte machen. Bei jeder Äußerung wird, wie oben bereits beschrieben, das Zusammenspiel der sprachlichen Aufgabenbereiche neu entschieden, und diese Entscheidung geht augenscheinlich einmal zugunsten und einmal zulasten der Flexion aus. Auch die Variation zielsprachlicher und abweichender Formen sowie die Transition zwischen den verschiedenen Kasusmarkierungen und den entsprechenden Fehlerarten dürfte – aus der oben bereits gegebenen Erklärung der Funktion neuronaler Netzwerke heraus – verständlich gemacht worden sein. Der Umstand, dass die Fehlerzahlen mit zunehmendem Alter keineswegs durchgängig abnehmen, zeigt, dass die Kinder bei Abschluss der vorliegenden Beobachtungen im Alter von 3;1 den Erwerb des Aufgabengebiets der Kasus- und Genuszuordnung noch lange nicht erfolgreich abgeschlossen haben. Dieser Bereich der Flexion scheint mit 3;1 noch einen Schwerpunkt innerhalb der sprachlichen Aufgabenbereiche zu bilden. Auch Bittner kommt zu diesem Schluss: „Man kann sagen, daß die Kinder bis zum Alter von ca. 3;0 die zielsprachliche Struktur der NP erworben haben. Noch nicht erworben ist in diesem Alter die Symbolisierung der Kasuseigenschaften der Nomen (insbesondere von Dativ und Genitiv) sowie die Symbolisierung der Kongruenzrelationen innerhalb der NP hinsichtlich Genus und Kasus" (Bittner 1998: 258). Aber auch die Fehlerarten, die sich bei ANN und FAL dokumentieren lassen, ähneln sich in ihrer Struktur. Bei beiden Kindern finden sich Genusfehler, Nominativübergeneralisierung auf Akkusativ- und Dativkontexte, *n-/m-Confusion* bzw. Akkusativübergeneralisierung in Dativkontexten sowie fehlende Kongruenz innerhalb einiger NPs, die sich nicht auf den ersten Blick in eine der

114

vier Fehlerrubriken einordnen lassen. Aus den Beobachtungen zum *Complexity/Fluency Trade Off* in Punkt 4.2 lässt sich bezüglich der auftauchenden Fehlerarten ableiten, dass beide Kinder in den Aufzeichnungen im Alter von 2;0 erstmals Genusfehler zeigen. Den Nominativ verwenden ANN und FAL hier schon korrekt. Zu diesem Zeitpunkt begehen sie noch kaum fehlerhafte Kasuszuordnungen, wohl weil sie erst langsam beginnen, diesen sprachlichen Aufgabenbereich auszubauen. Beide benutzen recht bald den korrekten Akkusativ, generalisieren aber auch schnell den Nominativ auf Akkusativ- und Dativkontexte sowie den Akkusativ auf Dativkontexte. Diese Fehlerarten nehmen vermutlich mit fortschreitender sprachlicher Entwicklung zu, während die Genusfehler wahrscheinlich eher weniger werden. Den korrekten Dativ zeigen ANN und FAL erst später. Als Erwerbsentwicklung bleibt also insgesamt festzuhalten, dass nach korrektem Nominativ der Akkusativ und schließlich der Dativ zielsprachlich zugeordnet werden können. Der Genitiv lässt sich in den Aufzeichnungen kaum beobachten, abgesehen von einigen Bildungen ANNs nach dem Muster des umgangssprachlichen Genitivs *Claudia seine Uni* (ANN 2;6). Auch in der einschlägigen Literatur zum Spracherwerb ist einiges über Genus- und Kasuszuordnung sowie entsprechende Fehler berichtet worden. Szagun beispielsweise konnte ebenfalls als häufigste Fehler der Kasusmarkierung die Übergeneralisierung des Nominativs und die Übergeneralisierung des Akkusativs in dativfordernden Kontexten ausmachen. Bezüglich letzteren Fehlers geht Szagun von einer langen Phase des Erwerbs aus (vgl. Szagun 1986: 69–70). Sie erklärt auch diesen Umstand mit dem Operationsprinzip E nach Slobin: „Auch die Übergeneralisierung des Akkusativs [...] könnte durch das Operationsprinzip E erklärt werden: *n* und *m* in *den* und *dem* sind schwer unterscheidbar. Ein *n* ist aber leichter auszusprechen als ein *m*, und so mag zusätzlich zur *n/m*-Verwechslung die Präferenz des *n* und damit der Akkusativform *den* entstehen" (Szagun 1986: 56). Schwierige akustische Unterscheidbarkeit in der Zielsprache und ein allgemein verwirrendes und unübersichtliches System der Kasusmarkierungen im Deutschen sind, so Szagun, die Hauptgründe für den langwierigen Erwerb des Kasussystems.

Auch Mills hat sich mit diesem Aspekt des Spracherwerbs auseinandergesetzt. Sie fand ebenfalls zuerst die korrekte Nominativform und dann die Nominativübergeneralisierung auf Akkusativkontexte sowie darauffolgend Akkusativübergeneralisierungen auf Dativkontexte. Erste Dativverwendungen dokumentierte sie ebenfalls erst zu einem späteren Zeitpunkt (2;9/3;2). In Bezug auf die Genitivverwendung verweist Mills auf den Gebrauch des umgangssprachlichen Genitivs im Korpus von Stern und Stern (vgl. Stern/Stern 1928), der auch bei ANN von CHILDES beobachtet werden konnte. Damit bestätigt Mills die Erwerbsreihenfolge bezüglich der Kasusmarkierungen, die bei ANN und FAL gefunden wurde. Auf den eher frühen Erwerb korrekter Nominativ- und Akkusativformen folgen der späte Gebrauch von Dativ- und Genitivmarkierungen (vgl. Mills 1986: 178–187).

Clahsen kommt zu einem ähnlichen Schluss. Er berichtet von der anfänglichen Dominanz der Nominativform in allen Kontexten sowie von Nominativübergeneralisierungen auf Akkusativ- und Dativkontexte: „Auf der Stufe IV wird die Nominativform in allen Kontexten benutzt, auch in Fällen, in denen im Deutschen Akkusativ oder Dativ erforderlich ist" (Clahsen 1989: 9). Nach dem Erwerb des Akkusativs, so Clahsen, dessen Formen auch auf Dativkontexte angewendet werden, realisiert das Kind häufiger Dativformen, die nicht in anderen Kontexten benutzt werden: „Akkusativformen werden von allen Kindern auch in dativfordernden Kontexten verwendet; Dativformen werden – wenn überhaupt – nur in dativfordernden Kontexten benutzt" (Clahsen 1989: 12). Von einer Akkusativübergeneralisierung in Dativkontexten berichtet in diesem Zusammenhang auch Collings: „This means that accusative forms such as the definite article den and the pronominal forms mich ‚me', dich ‚you', etc. not only occur in accusative contexts but may also be found in dative contexts" (Collings 1990: 39). Abschließend zu den Beobachtungen bezüglich des Erwerbs der Kasusmarkierungen, wird an dieser Stelle noch einmal auf die Organisation des neuronalen Netzwerks eingegangen. Dass anscheinend sehr viele Kinder ähnliche Kasusfehler in ähnlicher Reihenfolge begehen, lässt sich mit der Existenz von kognitiven Verarbeitungsmechanismen begreifen, die jeder Mensch besitzt. Das kognitive System, zu welchem der Spracherwerb zählt, funktioniert, wie bereits erklärt, bei jedem Individuum ähnlich, und Unterschiede in der jeweiligen Entwicklung lassen sich auf die individuelle Ausgestaltung durch die sprachliche und soziale Umwelt zurückführen. Die Bedeutung der verschiedenen Fehlerarten wird verständlich, wie alle bereits untersuchten Phänomene des Spracherwerbs, durch die Organisation der neuronalen Netzwerke. Zuerst verwendet das Kind für alle Kasuskontexte den Nominativ. Er ist am einfachsten zu realisieren, da es sich dabei meist um eine einfache, d.h. unmarkierte, ikonisch merkmalsarme, Form handelt und die Verbindung zwischen den Knoten des Netzwerks leicht zu beschreiten ist. Nach und nach verfügt das Netzwerk über mehr Verarbeitungskapazität, und es wird möglich, komplexere Wege zu gehen bzw. komplexere Formen und Kasusmarkierungen zu bilden. In komplexen Äußerungen allerdings, in denen auch die sprachlichen Aufgabenbereiche der Konjugation, Wortbildung und Artikulation Verarbeitungsenergie benötigen, bleibt, solange die Kasusmarkierungen keinen Schwerpunkt im Zusammenspiel der Aufgabenbereiche bilden, keine Energie mehr beispielsweise für die korrekte Realisierung des Dativs im unbestimmten Artikel.

Die Unterschiede, die sich innerhalb der NP-Entwicklung bei FAL und ANN zeigen und die in Punkt 4.1 vorliegender Studie beobachtet worden sind, sollen nun mit Unterstützung verschiedener interdisziplinärer Zugänge erklärt werden.

6.1.2 Unterschiede und (interdisziplinäre) Erklärungsversuche

An dieser Stelle wird die Frage beleuchtet, warum es zu solchen individuellen Unterschieden kommt bzw. welche Ursachenkomplexe diesbezüglich denkbar sind. Zuerst sollen dabei die oben beschriebenen Beobachtungen zusammengefasst und mit weiteren Beispielen aus der Literatur zum Spracherwerb untermauert werden, damit deutlich wird, dass viele Phänomene des Spracherwerbs nicht nur bei ANN, FAL oder AL beobachtet werden können.

6.1.2.1 Beginn des (NP-)Erwerbs, einzelne Unterschiede im Erwerb und Aggressivität der Sprache

Als auffälligste Unterschiede in der Entwicklung von ANN und FAL haben sich ANNs früher NP-Erwerbsbeginn und FALs hohe Anzahl an NP-*Tokens* herausgestellt. Dass Mädchen früher mit dem Erwerb von Sprache beginnen als Jungen, ist eine weitverbreitete, aber auch umstrittene Annahme in der bisherigen Forschung.[61] Klann-Delius weist auf den umstrittenen Charakter dieser Vermu-

---

[61] Vgl. zur kritischen Betrachtung der zwanghaften Dichotomie von Geschlecht Punkt 6.1.2.4.

tung hin, bestätigt aber auch die leichte „Tendenz [...], daß Mädchen häufiger vokalisieren, sie das erste Wort früher erwerben, sie sich das Lautsystem ihrer Muttersprache früher aneignen und bessere Artikulationsleistungen aufweisen" (Klann-Delius 1999: 48; vgl. auch 1980: 65–66). Zu diesem Schluss kommt Klann-Delius auch in einer ihrer neuesten Veröffentlichungen zu Sprache und Geschlecht (vgl. Klann-Delius 2005: 107–109).[62] Oben konnte beobachtet werden, dass ANN weit mehr reduzierte Artikel verwendet als FAL, obwohl dieser im Allgemeinen mehr NP-*Tokens* äußert. Dieser Befund wird in der einschlägigen Literatur nicht bestätigt. Auch über das Verhältnis von Kasus- und Genusfehlern zwischen den Geschlechtern finden sich keine Angaben.

Die kleineren Unterschiede in puncto NP-Erwerbsreihenfolge, die sich zwischen ANN und FAL zeigen, werden nicht nur von Bittner, sondern auch von Peltzer-Karpf und Zangl erwartet (vgl. Peltzer-Karpf/Zangl 1998: 146–151): „Abgesehen davon, sind interindividuelle Unterschiede durchaus zu erwarten und auch konstatierbar, z.B. das Auftreten von *viele* vor *ein* und *kein* bei Hannah, das möglicherweise mit ihrer ausgeprägten Verwendung reduzierter Formen vor dem Auftreten von *ein* zusammenhängt" (Bittner 1999: 61 und 68–70).

Bei der Beschreibung der Unterschiede zwischen den Kindern wurde des Weiteren auf reduzierte Artikel sowie Genus- und Kasusfehler eingegangen. Es konnte dabei beobachtet werden, dass ANN mehr Artikel als FAL reduziert, dieser dafür aber später mehr Genus- und Kasusfehler begeht als ANN. Mögliche Ursache für diesen Sachverhalt könnte sein, dass von ANN zu Beginn der Aufnahmen mit 1;4 eine höhere Datendichte vorliegt als von FAL. Da die Artikel bzw. andere Konstituenten der NP ebenfalls besonders oft zu einem recht frühen Zeitpunkt des NP-Erwerbs reduziert werden, könnte eine Unregelmäßigkeit bei der Datenerhebung eine mögliche Ursache für ANNs hohe Anzahl an reduzierten Artikeln sein. Von dem Zeitpunkt des NP-Erwerbs, an dem die Kinder beginnen, Kasus- und Genusfehler in der NP zu machen, sind von FAL und ANN gleich viele Datensätze verfügbar. FAL zeigt im Laufe seines NP-Erwerbs eine sehr hohe Anzahl an NP-*Tokens*. Deshalb ist es auch nicht überraschend, dass er mehr Kasus- und Genusfehler begeht als ANN.

---

[62] Diese Annahme wird sehr kontrovers diskutiert. Vgl. dazu u.a. Kegel (1974), Szagun (1986), Oksaar (1987), Philips (1987), Jessner (1991) und Kimura (1999).

In Zusammenhang mit der Beschreibung von FALs Erwerbsstil in Punkt 5.1.2 ist von einer gewissen Kreativität und Kombinationsfreude bezüglich der Wortbildung die Rede, die sich bis hin zu offener Aggressivität und der Verwendung von Kraftausdrücken in einigen Spielsituationen und Wortbildungen steigert. ANN zeigt diese Neigung zu Fäkal- und Kraftausdrücken nicht und wirkt insgesamt in ihrem Umgang mit Sprache weniger experimentierfreudig als FAL. Mehrere LinguistInnen berichten in der Literatur von entsprechenden Beobachtungen und führen diesen Unterschied auf das Geschlecht zurück. Kegel spricht in diesem Zusammenhang davon, dass Jungen ihr sprachliches Repertoire effektiver nutzen als Mädchen (vgl. Kegel 1974: 74). Swann geht auf die möglicherweise vorherrschende größere Aggressivität von Männern bzw. Jungen im Allgemeinen ein: „John Archer and Barbara Lloyd point out that there is a great deal of evidence that boys – even young preschool-age boys – tend to be more aggressive than girls" (Swann 1992: 6). Jessner fügt dem hinzu: „Die Dominanzverhaltensmuster unter den Buben drücken sich also auch verbal aus. Unter anderem geben sie verbale Kommandos, sie drohen und prahlen mit ihrer Autorität und sie weigern sich, die Anordnungen anderer zu befolgen, und sie liefern sich verbale Duelle [...]" (Jessner 1991: 33).

6.1.2.2   *Nature-Nurture*-Kontroverse

Wie in dieser Untermauerung der Ergebnisse angedeutet, haben einige LinguistInnen versucht, interindividuelle Unterschiede in der Entwicklung mehrerer Kinder auf die Variable *Geschlecht* zurückzuführen. In dieser Untersuchung soll ein möglichst breit gefächertes, interdisziplinäres Angebot an Erklärungen für interindividuelle Unterschiede gegeben werden und deshalb auch auf andere denkbare Möglichkeiten zur Einordnung der vorliegenden Ergebnisse eingegangen werden. Wie also lassen sich die oben beschriebenen Unterschiede zwischen ANN und FAL wissenschaftlich erklären?

Als interdisziplinäre Streitfrage kann in diesem Zusammenhang die sogenannte *Nature-Nurture*-Kontroverse gelten. Interindividuelle Unterschiede in der Sprachentwicklung lassen sich demnach möglicherweise zurückführen einerseits auf angeborene, natürliche Determinanten, etwa auf Gegebenheiten aus der Biologie und Physiologie, und andererseits auf situative, angeeignete Determinanten, beispielsweise auf gesellschaftliche Einflüsse. Nun lassen sich beide Strömungen, die von vielen WissenschaftlerInnen leider nur einseitig vertreten werden, noch zusätzlich auf die Variable *Geschlecht* beziehen. Biologische und physiologische Ursachenkomplexe können in diesem Sinne entweder mit Geschlechtszugehörigkeit argumentieren oder aber mit einer individuellen, geschlechtsunabhängigen Entwicklung des kognitiven Systems, etwa einer Einteilung nach Lerntypen. *Nurture*-Argumente können sich ebenso entweder auf Sozialisation durch Geschlechterrollenstereotype oder beispielsweise auf Prägung durch Schichtzugehörigkeit beziehen (vgl. Adler 1978: 124 und Jessner 1991: 59–61). „Die Streitfrage, wie sehr die physische und psychische Entwicklung des Menschen einerseits von Vererbung und andererseits von der Umwelt beeinflusst wird, wird noch immer von Wissenschaftlern verschiedenster Zweige behandelt" (Jessner 1991: 59–60).

6.1.2.3   Individuelle Lerntypen

Für die hier beschriebenen Phänomene des NP-Erwerbs sind allerdings auch andere Begründungen denkbar. Sie könnten beispielsweise auch auf eine individuelle geschlechtsunabhängige kognitive Entwicklung zurückzuführen sein. Auf diesen Ursachenkomplex kann nun insbesondere im Rahmen der Klärung geringfügiger Unterschiede in der NP-Erwerbsreihenfolge näher eingegangen werden. Der Spracherwerb ist – nach netzwerktheoretischer Auffassung – Teil der allgemeinen kognitiven Entwicklung des Menschen. Diese ist zwar bei jedem Menschen vergleichbar aufgrund von angeborenen Informationsverarbeitungsmechanismen, mithilfe derer regelhafte Strukturen in der Zielsprache entdeckt, analysiert und generalisiert werden können. Doch Einflüsse aus der sprachlichen und sozialen Umwelt sowie geringfügige persönliche Eigenheiten dieser kognitiven Entwicklung könnten die Besonderheiten erklären, die ANN und FAL in der NP-Erwerbsreihenfolge zeigen. Es kann in diesem Zusammenhang von einer individuellen Ausgestaltung der allgemeinen kognitiven Verarbeitungsmechanismen ausgegangen werden. „Vorlieben für bestimmte Muster, Fluktuation in der Regelanwendung, Überproduktivität und Verschiebungen der Interface-Relationen zwischen den Systemen konnten je nach Erwerbsalter und Ausgangssituation klassenweit beobachtet werden [...]. Dennoch darf dabei nicht übersehen werden, daß Schüler ihr eigenes Lernprofil hinsichtlich Geschwindigkeit, Präzision und Intensität entwickeln" (Peltzer-Karpf/Zangl 1998: 146). Zwar untersuchen Peltzer-Karpf und Zangl Zusammenhänge aus dem Erwerb einer Zweitsprache, doch weisen sie auf die Gültigkeit ihrer Ergebnisse für den Erstspracherwerb hin. Auch sie nehmen im Zusammenhang individueller Variation persönliche Besonderheiten in der kognitiven Entwicklung an. „Dies hängt mit den unterschiedlichen Startbedingungen in der Erstsprache, der unterschiedlichen Inputfokussierung, der Fähigkeit, Regelsysteme herauszufiltern und *last but not least* den kognitiven Fähigkeiten und der Persönlichkeitsstruktur zusammen" (Peltzer-Karpf/Zangl 1998: 150). Auch de Key meint: „From the prelanguage stages, then, and during early language acquisition, boys and girls advance in language development at generally the same rate; the differences can be attributed to individual performance rather than to sex" (Ritchie de Key 1975: 63). Bittner bestätigt in ihrer Untersuchung zum Erwerb von NP-Quantoren interindividuelle Unterschiede zwischen mehreren untersuchten Mädchen. Auch sie geht von Unterschieden in der individuellen geschlechtsunabhängigen sprachlichen Entwicklung der Kinder aus: „Auch hier kann eine individuelle Erklärung gegeben werden. Verena ist ein Lernertyp, der neue Formen und Strukturen erst dann anwendet, wenn er sie ganz sicher beherrscht, der also mehr durch genaue Beobachtung lernt als durch Anwendung und Ausprobieren" (Bittner 1999: 69). Durch Bittners Annahme von Lernertypen inspiriert, wurden auch in der vorliegenden Studie bereits in Punkt 5.1.2 zwei Erwerbsstile bezüglich des NP-Erwerbs von ANN und FAL entworfen. Zur Klärung der Unterschiede soll noch einmal kurz auf diese Einteilung nach Lernertypen eingegangen werden. Wie Bittner erwähnt, können Unterschiede in der Entwicklung sehr gut mit individuellen Erklärungen beleuchtet werden. Grob zusammengefasst, gestalten sich die Besonderheiten folgendermaßen: ANN beginnt früher als FAL mit dem Erwerb der NP und zeigt in fast allen folgenden Entwicklungsschritten einen zeitlichen Vorsprung. Sie agiert augenscheinlich vorsichtiger im NP-Erwerb, bildet insgesamt weniger NP-*Tokens* und zeigt weniger Kreativität und Abwechslungsreichtum im Umgang mit der Bildung von NP-Formen. FAL hinkt in der Entwicklung zwar leicht hinterher, wirkt aber in vielerlei Hinsicht mutiger und aktiver. Auch in vorliegender Untersuchung könnten sich diese Unterschiede auf individuelle Lernertypen zurückführen lassen. FAL lernt vielleicht eher durch Kreativität bei der Bildung neuer NP-Formen sowie durch die Bildung vieler NP-*Tokens*. ANN hingegen genießt eventuell einen Vorteil ihrer kognitiven Entwicklung, fängt also früher an, NP-Formen zu bilden, lernt aber nicht durch das Bilden vieler und ungewöhnlicher NP-Formen, sondern möglicherweise durch genaues Zuhören. Denkbar ist außerdem, dass sie besonders ungern Fehler macht und lieber einfachere und gebräuchlichere Formen bildet, von deren Korrektheit sie überzeugt ist. In diesem Zusammenhang kann auch auf die Annahmen Sternbergs verwiesen werden. Er versucht, individuelle Unterschiede mit sieben verschiedenen Paradigmen zu erklären: dem psychometrischen, Lern-, Piaget-, Wygotski-, Informationsprozess-, biologischen und dem System-Paradigma. Für netzwerktheoretische Ansätze in diesem Rahmen bedeutsam ist das Informationsprozess-Paradigma. Dieses Paradigma liefert

> „an understanding of cognitive development through specification of how knowledge, mental representations, mental processes, and strategies develop with age. Individual differences are understood in terms of differences in the effectiveness of these elements. For example, one child might be able to execute a set of mental processes more quickly than does another child, or might be able to choose a strategy for solving a problem that is a better strategy than that chosen by another child" (Sternberg 2002: 602).

An dieser Stelle muss aber auch auf die Rolle des gehörten Inputs eingegangen werden. Die Verbindungen zwischen den Einheiten des neuronalen Netzwerks im Gehirn können nur dann ausgebildet und entsprechend gestärkt werden, wenn sie regelmäßig aktiviert werden. Dies geschieht durch die sprachliche Umwelt des Kindes. Je mehr das Kind aus seiner Umwelt „aufschnappt", desto besser ist das für die Ausbildung des neuronalen Netzwerks, das auch dem Spracherwerb zugrunde liegt. Eigenheiten im Spracherwerb eines Kindes könnten durch den angebotenen Input hervorgerufen werden. So lassen sich in den Äußerungen von FALs Mutter einige eher ungewöhnliche Amalgame finden, die auch FAL am Ende des dritten Lebensjahres zeigt. Verwiesen werden muss in diesem Zusammenhang auch auf die Möglichkeit, dass das Kind durch den ihm entgegengebrachten Input nicht ausreichend gefordert oder aber überfordert sein könnte. Zur Funktion des sogenannten *Baby-Talk* ist viel diskutiert und veröffentlicht worden (vgl. die Literaturangaben in Klann-Delius 1999: 143–146).

An dieser Stelle soll ein kurzer Exkurs zur Erklärung individueller Besonderheiten durch geschlechtsspezifische Biologie oder Sozialisation Platz finden.

6.1.2.4 Exkurs: Die zwanghafte Dichotomie von Geschlecht

Aufmerksam gemacht werden soll in diesem Zusammenhang auf die zwanghafte Dichotomie von Geschlecht, wie sie dem (Wissenschafts-)Alltag bei jeder Gelegenheit zugrunde liegt – und zwar nicht nur, wenn von „typisch weiblichen" oder „typisch männlichen" Eigenschaften ausgegangen wird, sondern auch dann, wenn die beiden sozialen Größen „Mann" und „Frau" simpel als Unterscheidungskategorien einer wissenschaftlichen Untersuchung zugrunde gelegt werden, um etwaige Entwicklungsvariationen zu erklären. In der feministischen Soziologie (vgl. etwa Gildemeister/Wetterer 1992) wird im Ansatz des *Doing Gender* davon ausgegangen, dass jedes gesellschaftliche Individuum permanent damit beschäftigt ist, sein/ihr biologisches Geschlecht (*Sex*) in Alltagssituationen zu „praktizieren" (*Gender*) bzw. durch Rituale „herzustellen" (vgl. auch Hirschauer 1994). Die Unterscheidung in *Sex* und *Gender* weiterführend, drängt sich der Gedanke auf, dass diese Trennung zugleich aber *Gender* wieder an *Sex* rückbindet: Dem männlichen und weiblichen *Sex* wird immer das jeweilige *Gender* zugeordnet; es herrscht eine heteronormative Zwangsdichotomie der Geschlechter. Judith Butler (z.B. 1997) stellt in diesem Zusammenhang fest, dass biologisches Geschlecht nicht jenseits der Gesellschaft denkbar ist und es sich somit dabei um keine natürliche Kategorie handelt, sondern lediglich um eine Naturalisierung, die in gesellschaftlichen Diskursen erzeugt wird. Butler hält das Natürliche in diesem Sinne für nicht darstellbar, erkennt aber durchaus ein „Ding an sich" jenseits von Diskursen an, das jedoch die Grenze der diskursiv erzeugten Erkenntnismöglichkeit darstellt: Über das „Ding an sich" können daher keine Äußerungen gemacht werden (vgl. Butler 1997: 274). *Sex* versteht Butler also als in Diskursen hergestellt; sprachliche Äußerungen und Ordnungskategorien verursachen daher die Unterschiede, die sie darzustellen vorgeben, erst: „In diesem Sinne operiert [auch] der politische Signifikant [...] vielmehr als eine performative Äußerung denn als ein repräsentionaler Begriff" (Butler 1997: 287). Sie geht davon aus, dass erst dadurch, dass unterschiedliche Individuen in Ordnungskategorien unterteilt werden, die den Ordnungskategorien zugedachten Differenzen offensichtlich werden: Nicht die einzelnen Kategorien entstehen also zwangsläufig aus den Unterschieden, sondern die Differenzen ergeben sich erst aus den Ordnungskategorien.

Mit dieser Anregung im Hinterkopf scheint die Forschung nach geschlechtsspezifischen Unterschieden im Spracherwerb ungünstig fokussiert, da sie die zwanghafte Dichotomie noch fortsetzt und verstärkt, was durchaus zu Fehlinterpretationen führen kann, weil Klischees zu sehr Beachtung finden und möglicherweise eine gewisse „Blindheit" gegenüber anderen, geschlechtsunabhängigen Faktoren begünstigt wird. Geschlecht wird dabei als voraus- und festgesetzte Größe verstanden, als selbstverständliche Erklärungsmöglichkeit für gefundene Unterschiede. Daher soll in vorliegender Untersuchung zu einem reflektierten Umgang aufgerufen werden. Anstatt anhand und ausgehend von der dichotomen Einteilung, also den beiden Größen „Mann" und „Frau", nach Differenzen in der Sprache zu suchen, müssten häufiger zuerst die interindividuellen, neutral gewonnenen Unterschiede betrachtet und erst dann überlegt werden – und zwar geschlechtsunabhängig –, wo die Ursachen dafür liegen.

Die Erklärung der aufgetretenen Unterschiede zwischen ANN und FAL abschließend, kann ergänzt werden, dass alle vorgestellten Ursachenkomplexe mit der netzwerktheoretischen Sichtweise vereinbar sind. Netzwerktheoretische Annahmen gehen – wie eingangs bereits dargelegt – von Informationsverarbeitungsmechanismen aus, die im Großen und Ganzen bei allen Menschen gleich gestaltet sind und die für die menschliche Fähigkeit verantwortlich sind, regelhafte Strukturen erkennen, extrahieren, analysieren und generalisieren zu können. Wichtige funktionale Einflüsse dieser Entwicklung sind die sprachliche und soziale Umwelt. Damit vereinbar sind daher sowohl die eben dargestellten geschlechtsspezifischen biologischen oder geschlechtsunabhängigen individuellen, kognitiven Besonderheiten als auch situative, funktionale Umstände. Aber auch die Erkenntnisse, die den zweiten Schwerpunkt dieser Arbeit betreffen, den *Complexity/Fluency Trade Off*, sollen hier in einen netzwerktheoretischen Zusammenhang gestellt werden. Wie hängen also etwa Schema-Produktion und das neuronale Netzwerk zusammen?

6.2 Complexity/Fluency Trade Off und NP-Schemata

Im Folgenden sollen nun die Beobachtungen und die daraus resultierenden Ergebnisse netzwerktheoretisch erklärt werden. Inwiefern sind netzwerktheoretische Annahmen besonders gut in der Lage, die hier gefundenen Auffälligkeiten zu erklären, und wofür sprechen die Beobachtungen?

In diesem Zusammenhang wird zuerst auf Interaktion sowie die Schwerpunktverlagerung sprachlicher Aufgabenbereiche eingegangen und daran anknüpfend, auf Schemata als Kompromisslösung dieses Zusammenspiels. Den Gedanken der Interaktion weiterführend, soll dann die *Lexical Bootstrapping Hypothesis*, im Sinne eines engen Zusammenhangs lexikalischer und syntaktischer Entwicklung, vorgestellt werden.

6.2.1 Complexity/Fluency Trade Off und Schwerpunktverlagerungen

Die Phänomene Interaktion bzw. *Complexity/Fluency Trade Off*, Variation und Transition sind in Punkt 2.3 der vorliegenden Studie bereits dargestellt und in einen netzwerktheoretischen Zusammenhang integriert worden.

Wie zeigen sich Interaktion, Variation und Transition nun konkret an den in dieser Untersuchung erhobenen und analysierten Daten? An dieser Stelle soll auf einige entsprechende Beispiele eingegangen werden, um eine Brücke zu schlagen zwischen den eher abstrakten netzwerktheoretischen Erklärungen und den deskriptiven Beobachtungen. Grundsätzlich ist zu erwähnen, dass die untersuchten Kinder die verschiedenen NP-Formen und auch andere Aspekte der deutschen Sprache nach und nach erworben haben. Es kann in keinem Fall die Rede davon sein, dass die NP-Formen eine nach der anderen komplett, schnell und präzise erworben werden. Vielmehr werden die einzelnen NP-Formen wie bestimmter Artikel plus Nomen oder *mein* plus Nomen im Wechselspiel immer ein Stück weiterentwickelt. Mit 1;9 bzw. 1;10 zeigen beide CHILDES-Kinder eine Phase, in der sie parallel nebeneinander die NP-Formen unbestimmter Artikel plus Nomen, bestimmter Artikel plus Nomen, *anderer* plus Nomen und Adjektiv plus Nomen erwerben (vgl. Tabelle 3 und 4). Zudem benutzt ANN mit 3;0 noch reduzierte Artikel, wie in *ein Teufel* [n'tɔ͡ʏf] oder *eine* [ə] *Giraffe*, obwohl sie den unbestimmten Artikel längst zielsprachlich realisieren kann. ANN zeigt, genau wie FAL, oft ein Nebeneinander zielsprachlich korrekter Bildungen und noch defizitärer Formen, etwa:

(83)

a) *hier ist die kleine Katze* ['kʰɑːtə] *un da noch ein kleine Katze* ['kʰɑːtə] neben zielsprachlichem *Katze* (2;6);

b) *wo ist meine Flasche?* [voː 'ɪt maĩ 'flɑsə?] neben *wo die Flasche?* (2;1);

c) *die Puppe* ['mʊpə] neben *die Puppe* ['tʊpə] (1;10).

Bei FAL zeigen sich ähnliche Phänomene, z.B.

(84)

a) *ein Zebra* [aĩn 'eːgə]; *ein Käfer* [aĩn 'kɛːf] neben *eine Schildkröte* [ə'kʰɵtʰ]; *ein Rabe* [ɑ'rɑːb]; *ein Büffel* [aĩ 'bʏfəl] (2;3);

b) *abgeschlossen* neben *fundet*; *runterholt* (2;9);

c) *ich seh mal alle die Sauriers* neben *alle die Saurier* (2;10).

Mit 3;0 macht FAL zwar eine Fülle an Kasusfehlern, verwendet aber auch schon öfter den korrekten Akkusativ. Mit 3;1 kommen einige korrekte Dativverwendungen hinzu.

Und auch die Interaktion sprachlicher Aufgabenbereiche, deren Funktion und Bedeutung in diesem Teil der Arbeit geklärt werden soll, kann an einigen aussagekräftigen Beispielen aus dem CHILDES-Korpus veranschaulicht werden:

ANN bildet mit 1;10 *ein Spielzeug* [nɑ biːt͡sɔld], FAL zur selben Zeit *ein Schaf* [iː 'ʃɑːb] und *andere Giraffe* ['ɑnɑ 'rɑfə]. Daran wird der Entwicklungsschwerpunkt der sprachlichen Aufgabenbereiche zu diesem Zeitpunkt deutlich. Beide Kinder versuchen, die zielsprachliche Realisierung der NP zu verwirklichen, es fehlen dazu aber Informationen, beispielsweise aus dem Bereich der Phonologie. Diese Lücken werden, so gut es jedem Kind möglich ist, gefüllt, etwa mit Informationen aus der Prosodie, um die NP-Struktur Artikel plus Nomen aufrechterhalten zu können. Die Realisierung der NP-Form steht im Vordergrund, die Realisierung der entsprechenden Artikulation bleibt (noch) im Hintergrund der Entwicklung. Ähnlich lässt sich die Äußerung ANNs *mein Löffel* [miː 'lœfə] (2;0) deuten. Besonders in langen Äußerungen lässt sich die Interaktion und die wechselseitige Unterstützung mit fehlenden Informationen gut verfolgen. In vielen komplexen Bildungen ANNs und FALs reicht die Verarbeitungskapazität noch nicht aus für die korrekte zielsprachliche Realisierung aller sprachlichen Aufgabenbereiche eines ganzen Satzes. Es können nicht alle Bereiche im Vordergrund stehen und korrekt realisiert werden, z.B.

(85)

a)   *wo der ande Mann von die Lupzeu?* (ANN 2;2);

b)   *das Knoten* [ˈnʰtʰən] *muss du wieder rausmachen* (ANN 2;5).

An dieser Stelle soll auch auf die zwei folgenden Äußerungen ANNs näher eingegangen werden:

(86)

a)   *wo ist meine Flasche?* [voː ˈɪt maͥ ˈflɑsə?];

b)   *wo die Flasche?* (beide 2;1).

An ihnen wird deutlich, dass der Wettstreit der sprachlichen Aufgabenbereiche bei jeder Äußerung neu entschieden werden muss. Im zweiten Beispielsatz gelingt die Realisierung der NP *die Flasche* innerhalb der *Wo*-Frage korrekt zielsprachlich. Artikulation und NP-Struktur stimmen. Im ersten Beispielsatz ist die *Wo*-Frage um ein Verb – *it* für *ist* – vervollständigt. Dieser zusätzliche Aufwand hat allerdings zur Folge, dass die Artikulation von Nomen, Artikel und Verb nicht zielsprachlich realisiert werden kann.

Die hier dargestellten Beispiele zeigen im Sinne des *Complexity/Fluency Trade Off*, dass immer ein Schwerpunkt der sprachlichen Entwicklung eine kurze Weile lang im Mittelpunkt zu stehen scheint, allerdings zulasten anderer sprachlicher Aufgabenbereiche, da die neuronale Verarbeitungskapazität noch nicht voll ausgeschöpft werden kann. Der Fokus kann bald aber schon wieder auf einem anderen sprachlichen Aufgabenbereich liegen, während sich der verdrängte Bereich möglicherweise nur langsam und immer wieder mit Rückschritten verbunden weiterentwickelt. Doch auch der neue Schwerpunkt wird wiederum zurückgedrängt und so weiter. So entsteht zwar eine ungefähre Reihenfolge von Schwerpunkten, wie sie in Kapitel 5.2 dargestellt worden ist, aber es handelt sich dabei um eine Abfolge mit Brüchen, Rückschlägen und doch auch Fortschritten. Die Schwerpunktsetzung wird bei jedem Satz neu entschieden, etwa gleich einer unterschiedlichen Signalberücksichtigung. Dabei scheint etwa ein zu Beginn des NP-Erwerbs geäußerter anspruchsvollerer Satzbau, der beispielsweise mit der genauen zielsprachlichen Silbenzahl gebildet ist, im Detail, also etwa in der Artikulation oder Flexion, eher fehlerhaft zu sein als ein anfänglich gebildeter kurzer Ausdruck, der dann möglicherweise eine zielsprachlich realisierte NP-Form mit kongruentem Artikel enthält. Daher kann nicht von einer Implikationshierarchie etwa derart, dass bestimmte sprachliche Bereiche zuerst bzw. zuletzt richtig realisiert werden, ausgegangen werden. Es ist nicht zu erwarten, dass etwa die morphologische Domäne erst dann vollständig korrekt realisiert wird, wenn der phonetische/phonologische Aufgabenbereich komplett umgesetzt wird. Auch Elsen (1996a) kommt zu einem ähnlichen Ergebnis:

> „Taken together, we see that systems influenced each other and that the child worked on different linguistic systems at different times. [...] To conclude, child language *in toto* develops gradually. [...] If we want to talk about segments of development we should consider the linguistic systems separately. As abrupt changes are rare, it would be better to talk about phases and to define them as times of high activity within one linguistic domain" (Elsen 1996a).

Es kann im Rahmen der vorliegenden Untersuchung gezeigt werden, dass es trotz Interaktion bzw. *Complexity/Fluency Trade Off*, Variation und Transition einen roten Faden gibt. Interaktion kann als notwendige Voraussetzung für erfolgreiche Sprachverarbeitung und Kommunikation gelten sowie Variation als logische Folge dieser Informationsverarbeitung (vgl. Elsen 1999: 210–212). Ein Ansatz, der diese Notwendigkeit der Kompromissfindung zwischen verschiedenen Bedürfnissen in der Sprachproduktion beschreibt, ist das *Competition-Model* (CM) von Bates und MacWhinney (vgl. z.B. MacWhinney 1989). Das CM wurde entwickelt, „um Sprachperformanz (Verständnis, Produktion und Erwerb) verschiedener Sprachen zu untersuchen. Sprachliche Formen dienen der Kommunikation. Sie entstehen nicht unabhängig von ihrem Gebrauch, sondern sind das Ergebnis eines ständigen Wettbewerbs (*Competition*) zwischen der Kodierung von komplexer semantischer und pragmatischer Information mithilfe unseres akustisch-artikulatorischen Sprechkanals" (Elsen 1999: 17). Äußerungen entstehen in diesem Sinne aus dem Bedürfnis zu kommunizieren und formalen Einschränkungen, etwa Verarbeitungskapazität (vgl. Elsen 1999: 17–20).

„Mental processing is competitive in the classical Darwinian sense", wie MacWhinney betont (MacWhinney 1989: 64). Der *Complexity/Fluency Trade Off* muss somit als das Aushandeln einer Kompromisslösung gesehen werden, die entsteht, wenn Informationen zur korrekten Realisierung eines zielsprachlichen Ausdrucks fehlen und ein anderer Aufgabenbereich mit Informationen dafür einspringt. Mithilfe der netzwerkartigen Verteilung und Verarbeitung von Wissen können graduelle Veränderungen und Variation erklärt werden sowie die Schwerpunktverlagerung der entscheidenden Auswahlkriterien.

Die Interaktion sprachlicher Aufgabenbereiche bringt aber auch ein bisher noch nicht erläutertes Phänomen des Spracherwerbs mit sich: die Bildung von Schemata.

6.2.2 NP-Schemata

Ein Schema kann – wie sich anhand der gesammelten Daten zeigen lässt – als Ergebnis einer Kompromisslösung des Wettbewerbs oder Zusammenspiels der sprachlichen Aufgabenbereiche verstanden werden. Schemata haben eine hilfreiche Funktion für den Spracherwerb, was sich mit der noch unvollständigen Verarbeitungskapazität des kognitiven Systems erklären lässt. Bei der Bildung von Schemata zieht das Kind häufige formelhafte Äußerungen aus dem gehörten Input und beginnt, diese Formen in seinem Sinne zu gebrauchen, wie dies in Punkt 4.2 bereits im Detail beobachtet werden konnte. Steigt die Frequenz der Verwendung, so steigt auch das Grundaktivierungsniveau der an der Realisierung der entsprechenden Muster beteiligten Knoten im neuronalen Netzwerk. Dies erhöht die Trefferquote bei der Realisierung des Schemas. Eine Fehlaktivierung eines benachbarten Knotens wird immer unwahrscheinlicher, je öfter das Kind das Schema korrekt realisiert. Außerdem kostet die Aktivierung eines Schemas weniger Verarbeitungsenergie, da NP-Schemata im Gehirn als Aktivierung fester Verbindungen zwischen den Knoten realisiert sind. Diese Ersparnis an Verarbeitungsenergie kann dann für die Realisierung anderer sprachlicher Aufgabenbereiche innerhalb der Äußerung genutzt werden, etwa kann dann das Nomen innerhalb des Schemas korrekt artikuliert werden. Mit anderen Worten und nach einer Definition von Elsen:

„In allen sprachlichen und sonstigen kognitiven Bereichen ist die Fähigkeit vorhanden, aus dem Input frequenz- und salienzbedingt wiederkehrende Muster zu erkennen, zu abstrahieren, analogisch neu anzuwenden und Schemata, schließlich Regeln – starke Generalisierungen – entstehen zu lassen. Diese konnektionistische Sicht auf die Dinge erklärt langsame Übergänge, individuelle Schwankungen und prototypisch-probabilistische, situationsbedingte Verteilung von ‚richtig‘ und ‚falsch‘ und synchrone Variation" (Elsen 1999: 181).

Für Schemata im Spracherwerb ist eine Verselbstständigung der Rahmenstruktur anzunehmen, die teils flexibel füllbar, teils fest ist. Solche (teil-)automatisierten Spracheinheiten setzen Verarbeitungsenergie in anderen Bereichen frei, oder sie werden bei Müdigkeit, emotionaler Anspannung etc. als Ersatzformen, das heißt als momentane Kompromisslösungen wegen reduziert zur Verfügung stehender Energie gebraucht (vgl. Elsen 1999: 187).

Die Bedeutung solcher Schemata für den Spracherwerb sowie ihre Entstehung und Entwicklung werden auch vielfach in der einschlägigen Literatur zum Spracherwerb untersucht und erklärt. Für die hier vorliegenden Daten haben sich folgende Studien als besonders bedeutsam erwiesen: Pine und Lieven (1993) präsentieren eine Studie, mithilfe derer sie eine neue Unterscheidungsdimension für individuelle Unterschiede im Spracherwerb zu finden hoffen[63], die die Herangehensweise von Nelson optimieren soll: die „relative proportion of common nouns and of frozen phrases" (Lieven/Pine/Dresner Barnes 1992: 287). Sie messen dabei den *Frozen Phrases* – hier Formeln genannt – eine herausragende Bedeutung im Rahmen des Spracherwerbs bei. Diese Phrasen sind, so Pine und Lieven, positiv verknüpft mit der frühen sprachlichen Produktivität der untersuchten Kinder. Damit handelt es sich bei der Verwendung von Formeln – späteren Schemata – weder nur um eine Sackgasse der Entwicklung noch um eine Ausnahme, die bei nur wenigen Kindern auftritt, wie von manchen LinguistInnen behauptet wird (dazu Pine/Lieven 1993: 570 und Dabrowska 2004: 178). Nach Pine und Lieven handelt es sich bei *Frozen Phrases* um „utterances which contain two or more words which have not previously occured alone in the child's vocabulary or which contain one such word, provided it has not occured in the same position in a previous multiword utterance" (Lieven/Pine/Dresner Barnes 1992: 295). Damit fällt ihre Charakterisierung entsprechend der Definiti-

---

[63] Vgl. zu interindividuellen Unterschieden im Spracherwerb weiter unten in diesem Abschnitt.

on einer Formel in Punkt 2.4 der vorliegenden Untersuchung aus. Pine und Lieven gehen des Weiteren davon aus, dass Formeln das Kind mit Vorlagen, die zuerst unanalysiert übernommen werden, versorgen (vgl. Lieven/Pine/Dresner Barnes 1992: 307–309). Außerdem sind sie der Meinung, dass diese wie auswendig gelernt wirkenden Phrasen bei allen Kindern vorkommen, also es sich bei dem Phänomen keineswegs um einen Sonderfall handelt. Nur die Ausprägung der Verwendung variiert in seiner Stärke von Kind zu Kind (vgl. Pine/Lieven 1993: 551). Die *Phrasal Strategy*, wie sie von Pine und Lieven genannt wird und das Herunterbrechen sowie die Reanalyse von ursprünglich unanalysierten Formeln meint, stellt sich als ein erleichterter Zugang zu Mehrwortäußerungen oder als erleichterter Übergang von Ein- zu Mehrwortäußerungen dar, da sich zwischen Formel- und Schema-Verwendung und späteren Mehrwortäußerungen ein signifikanter Zusammenhang in der Untersuchung zeigt. Die detaillierte Entwicklung einer *Frozen Phrase* sehen Pine und Lieven in ähnlicher Weise wie auch Dabrowska (vgl. Pine/Lieven 1993: 567; vgl. unten).

Dabrowska fasst den Ablauf der Schema-Entstehung folgendermaßen zusammen: „[...] they are derived from actual expressions and have the same structure as their instantiations. They emerge spontaneously when the learner has acquired a sizeable repertoire of formulas. Their original function is to allow more efficient storage" (Dabrowska 2000: 1). Sie geht damit außerdem von einer Schema-bedingten Ersparnis an Verarbeitungsenergie im neuronalen Netzwerk aus, wie es auch weiter oben in diesem Abschnitt anhand der hier vorliegenden Daten bereits erläutert wurde. Schemata sieht Dabrowska in diesem Zusammenhang als *Prefabricated Units*, die den Sprachgebrauch vereinfachen. Hoch frequente Formen sind dabei leichter zu aktivieren und schneller zu verarbeiten als selten verwendete, da sie in ihrer Aktivierung öfter „geübt" werden (vgl. Dabrowska 2004: 18). Den Generalisierungsprozess, der bei der Entwicklung von einer Formel zu einem Schema abläuft, beschreibt Dabrowska mithilfe folgender Terminologie: *Invariant Formulas* entwickeln sich über *Abstract Formulaic Frames* zu *General Constructional Schemas* (vgl. Dabrowska 2000: 92). Wie weiter unten in diesem Abschnitt an vorhandenem Datenmaterial gezeigt wird, zieht das Kind in diesem Sinne feste Formeln aus dem Input, die wie auswendig gelernt wirken. Es handelt sich dabei um einen unanalysierten Gebrauch, die einzelnen Komponenten der Formeln werden noch nicht in anderen Zusammenhängen bzw. Äußerungen verwendet (vgl. Dabrowska 2004: 161). Formeln verfügen noch nicht über einen variablen Bestandteil, einen sogenannten *Slot*. Über Formeln, die zu einem gewissen Grad variabel, also etwa mit mehreren Nomen besetzbar sind, bildet das Kind schließlich verallgemeinerte Schemata: Neubildungen, die vollständig generalisiert, also dem Kind gänzlich transparent sind in ihrer Zusammensetzung und Bedeutung. Als Beleg für diese Entwicklung sieht Dabrowska unter anderem die sogenannte *U-Kurve*. Die anfänglich gestiegene Verwendung von Schemata sinkt zeitweilig zahlenmäßig auf ein niedriges Niveau ab, das Kind verwendet scheinbar wieder weniger oder fehlerhafte Schemata, obwohl es vorher schon korrekte, etwa kasuskongruente Formen gezeigt hat. Die dann aber wieder sprunghaft ansteigende Anzahl der korrekten Verwendungen nach dieser Regression spricht dafür, dass die Zeit des Rückzugs[64] tatsächlich für den Ausbau der Schema-Fähigkeiten verwendet wurde: Das Kind ist nun in der Lage, Schemata in einem weiteren Kontext anzuwenden und bildet mehr zielsprachliche Formen (vgl. Dabrowska 2004: 161–162). Dabrowska stellt auch Vermutungen an, wie dieser Generalisierungsprozess von einer festen Formel zu einem generalisierten Schema vonstatten gehen könnte. Zuerst werden demnach neue Formeln aus dem Input gezogen. Dann beginnt die Analyse. Sie setzt an mit der Segmentierung der phonologischen Repräsentation und umfasst außerdem eine semantische Analyse. Dann wird eine Verbindung hergestellt zwischen den Einheiten der Sprachverarbeitung, sogenannten *Chunks,* mit phonologischem Material und Aspekten der semantischen Struktur. Schließlich abstrahiert das Kind ein Schema aus dem zur Verfügung stehenden Material. Dabei wird Verarbeitungsenergie frei, da Schemata im neuronalen Netzwerk als feste Aktivierungspfade re-präsentiert sind und wenig Energie zur Aktivierung benötigen. Das Kind ist somit in der Lage, neue Ausdrücke zu bilden (vgl. Dabrowska 2000: 93–95). Die Erkenntnisse Dabrowskas

---

[64] Vgl. an dieser Stelle auch die Diskussion von Interaktion, Variation und Transition in Punkt 6.2.1 zu scheinbaren Rückschritten oder Stagnation der Fähigkeiten in einem interaktiven Spracherwerbsprozess.

sprechen somit dafür, dass Schemata eine herausragende Bedeutung für den Spracherwerbsprozess haben.

Auch Zangl und Peltzer-Karpf befassen sich mit der Entstehung von Schemata im Lexikon der Kinder. Sie gehen aus von zuerst aus dem Input kopierten Lautketten, bei deren Gebrauch es anschließend zu Fehlkonstruktionen und Übergeneralisierungen kommt. Diese sehen Zangl und Peltzer-Karpf als Zeichen für einen aktiven Analyseprozess der Muster (vgl. Zangl/Peltzer-Karpf 1998: 13). Schemata spiegeln allerdings, so Zangl und Peltzer-Karpf, nicht das tatsächliche Lernniveau des betreffenden Kindes wider, sondern es sind vielmehr Faktoren wie Frequenz, Produktivität, Transparenz und prosodische Merkmale für die Benutzung eines Schemas verantwortlich. Übergeneralisierungen und Regelfluktuationen kündigen in diesem Sinne wesentliche Reorganisationsprozesse in den bestehenden Subsystemen an (vgl. Zangl/Peltzer-Karpf 1998: 56).

Auch die Formelgewinnung wurde in der Spracherwerbsliteratur hinterfragt. Woher nimmt das Kind die anfänglich festen Formeln?

Cameron-Faulkner, Lieven und Tomasello (2003) beleuchten mit ihrer Untersuchung die Herkunft der Formeln und somit auch der Schemata: den Input des Kindes, den es bei Bezugspersonen hört. Das Ergebnis zeigt klar, dass Äußerungen der untersuchten Mütter meist Fragen, Imperative, Kopula und Fragmente enthalten. 51 Prozent aller mütterlichen Äußerungen beginnen mit einer von 52 gegenstandsbezogenen Phrasen. Die untersuchten Kinder benutzen viele der gleichen Phrasen. Es kann also ausgegangen werden von einer Verbindung zwischen der Art, wie Erwachsene bestimmte syntaktische Muster und Ausdrücke benutzen und der Art, wie Kinder dieselben Ausdrücke erwerben (vgl. Cameron-Faulkner/Lieven/Tomasello 2003: 843–873).

Eine interessante Darstellung der Verwendung von Formeln und Schemata im Spracherwerbsprozess bringt auch Kaltenbacher (1990) in die Diskussion ein. Sie konnte im Rahmen ihrer Studie zwei Erwerbsstrategien im Sprachverhalten eines Kindes dokumentieren: einen *nominalen* und einen *pronominalen* Strang.[65] Als *nominalen* Strang definiert Kaltenbacher vor allem wortbasierte Schemata, die den Schema-Typen ähneln, die in der hier vorliegenden Untersuchung fest-

---

[65] Vgl. zu diesem Thema auch Elsen 1996b. Auch sie unterscheidet zwischen einer *Expressive Speech* und einer *Referential Speech* im Rahmen des Spracherwerbs nur eines Kindes.

gestellt worden sind, also etwa *da* plus Nomen oder *anderer* plus Nomen, sowie merkmalbasierte Zweiwort-Schemata. Diese gehen im Laufe der Entwicklung in komplexe Satzstrukturen über und wirken auf Kaltenbacher eher analysiert. Charakteristisch für diesen Erwerbsstrang sind unter anderem viele Nomen (vgl. Kaltenbacher 1990: 67–92). Im Rahmen des *pronominalen* Strangs übernimmt das Kind eher unanalysierte, ganze, formelhafte Satzteile ohne Wortgrenzen aus dem Input:

> „Daneben verwendet Linda Äußerungen, die nach der Grammatik des Deutschen ebenfalls aus mehreren Wörtern bestehen, für sie jedoch eine Einheit darstellen. Sie weisen deutlich andere lautliche Merkmale auf und spiegeln eine stärker formorientierte Verarbeitung der gehörten Sprache wider. Diese sprachlichen Produktionen konstituieren einen zweiten Entwicklungsstrang, der jedoch nur im Vorgriff auf die weitere Entwicklung als pronominal bezeichnet werden kann" (Kaltenbacher 1990: 106).

In der weiteren Entwicklung des Spracherwerbs stellt Kaltenbacher fest, dass sich die beiden Stränge bzw. deren Produktionen eher angleichen (vgl. Kaltenbacher 1990: 124–159). Im *nominalen* Strang werden wort- und merkmalbasierte Zweiwort-Schemata zu komplexeren Strukturen zusammengefügt. Außerdem existieren hier vermehrt Mehrwortäußerungen und komplexe NPs mit und ohne *Pivot*-Strukturen. Innerhalb des *pronominalen* Strangs stellt Kaltenbacher in puncto formelhafte Äußerungen fest, dass der zielsprachliche Satz bzw. die Silbenstruktur häufig mit Füllsilben nachgestellt wird. Dieser Strang stellt also einen stark formorientierten Zugang zum sprachlichen Input dar, der Input ist noch nicht generalisiert. Nachdem bei dem untersuchten Kind im Alter von etwa 1;9 eher eine satzbezogene Strategie vorherrschte (*pronominaler* Strang), zeichnet sich mit 1;10 eher ein Ausbau des *nominalen* Strangs ab. Auch hier lässt sich also ein Wettstreit, eine Art Interaktion von Spracherwerbsmechanismen beobachten, wie schon weiter oben beschrieben wurde. Auch die jeweiligen Verarbeitungsstrategien sind in diesem Zusammenhang von besonderem Interesse. Innerhalb des *nominalen* Strangs lösen sich die semantisch-syntaktischen Schemata in komplexere, integrierte Strukturen auf, aus denen das Kind bei der Sprachproduktion Teile in flexibler Weise aktiviert. Es entsteht eine abstrakte, hierarchische Konstituentenstruktur: Determinator plus Adjektiv plus Nomen. Im Rahmen des *pronominalen* Strangs lässt sich folgende Analyse abstrahieren: Es kommt erst zu einer Segmentierung, dann zu einer lexikalischen Analyse von

Funktionswörtern, schließlich werden Äußerungspositionen variabel besetzt, und abschließend folgt eine Identifikation der semantischen Rollen.

In den Erwerbsmechanismen beider Erwerbsstränge lassen sich in diesem Sinne Parallelen finden zu der in dieser Studie beobachteten Schema-Entstehung und -Verwendung (vgl. weiter unten in diesem Kapitel). Der *nominale* Strang zeigt die Verwendung von bereits analysierten, transparent gemachten Schemata. Diese werden schon in neuen Zusammenhängen verwendet und in größere syntaktische Muster integriert. Andererseits beschreibt Kaltenbacher im Zusammenhang mit dem Begriff des *pronominalen* Strangs Formeln, die als Ganzes völlig unanalysiert und unsegmentiert aus dem zur Verfügung stehenden Input extrahiert worden sind. Erst im Laufe der Entwicklung werden diese für das Kind durchsichtig und in ihren segmentierten Bestandteilen auch in anderen Zusammenhängen verwendet. Die Analyse pronominaler Strukturen, wie sie Kaltenbacher beschreibt, wurde auch von Dabrowska und anderen in ähnlicher Weise angenommen (vgl. weiter oben in diesem Abschnitt). Kaltenbachers Unterteilung dieser Verarbeitungsstrategie in zwei gesonderte, miteinander interagierende Erwerbsstränge ermöglicht eine andere, neue Sicht auf den Schema-Erwerb. Allerdings könnte in diesem Gedankengang eine gewisse Kausalität oder temporäre Abfolge fehlen, die etwa an Dabrowskas *From Formula to Schema* anknüpfen könnte. Auch wenn der gesamte Erwerbsprozess eher von Interaktion, Variation und Transition als von einer starren modulhaften Abfolge von Erwerbsschritten gekennzeichnet ist, so scheint doch gerade im Schema-Kontext eine gewisse Kausalität notwendig, um die Entwicklung von Formeln hin zu Schemata adäquat zu erklären.

Auch Tomasello hat sich ausführlich mit Schemata beschäftigt.[66] Er kategorisiert in seiner Untersuchung Schemata in erste Wortkombinationen und *Pivot*-Schemata, *Item-based*-Konstruktionen, abstrakte syntaktische Konstruktionen und paradigmatische Kategorien. Erstere umfassen die Äußerungen ab etwa 1;6, z.B. *BallTisch*. *Pivot*-Schemata sind hingegen in gewisser Weise schon schematisch. Sie verfügen, so Tomasello, über einen *Slot*, eine variabel besetzbare Stel-

---

[66] Die Begriffe *Constructions* und *Schemata* finden auch in der allgemeinen kognitiven Literatur Verwendung. Schwarz (1992) etwa begreift Schemata als größeren Zusammenhang, in dem mentale Konzepte, die elementaren Einheiten der Kognition, im menschlichen Gehirn abgespeichert sind (vgl. Schwarz 1992: 83–90 und auch Pospeschill 2004: 198–199).

le. Er geht davon aus, dass es sich dabei um den ersten Typ sprachlicher Abstraktion handelt. Syntaktische Symbole werden von den Kindern in diesem Zusammenhang aber noch nicht benutzt, zum Vergleich etwa *mehr Milch* (vgl. Tomasello 2003: 43–93). *Item-based*-Konstruktionen gehen, laut Tomasello, über *Pivot*-Schemata hinaus. Sie verfügen dementsprechend über erste syntaktische Markierungen als integraler Part der Konstruktion. Weitgehende Generalisierungen sind dabei nicht möglich, das Kind verfügt noch über eine zu kleine Menge an Input. Die ersten Verben beispielsweise sieht Tomasello in Verbindung mit einer gewissen lexikalischen Enge – als *Verb-Islands* – wie sie in Punkt 6.2.3 der vorliegenden Arbeit beschrieben ist (vgl. Tomasello 2003: 94–143). Abstrakte syntaktische Konstruktionen, etwa Fragen, vermutet Tomasello als an eine kleine Anzahl von Formeln gebunden. Kinder erlernen diese dabei als *Linguistic Gestalts* mit charakteristischer Funktion, also an eine bestimmte Situation des Erlebens gebunden. Die Entwicklung geht in diesem Sinne weg von *Item-based*-Konstruktionen hin zu eher abstrakten, generalisierten Konstruktionen (vgl. Tomasello 2003: 144–195). Mit dieser These von Generalisierung und Abstrahierung liegt auch Tomasello auf einer Linie mit den Annahmen der bisher dargestellten Arbeiten und auch mit vorliegender Untersuchung. Einen neuen Gedanken führt er mit der Vorstellung der lexikalischen Spezifität ein, der weiter unten näher beleuchtet wird. Tomasello definiert zudem drei gebrauchsbasierte kognitive Verarbeitungsprozesse, die für die Generalisierung von Formeln in der Entwicklung hin zu Schemata charakteristisch sind: das *Entrenchment*, die Bildung von Wortklassen und die *Preemption*. Dabei handelt es sich erstens um die Nichtexistenz von *Restrictions*, also Beschränkungen, in der frühen Entwicklung. Die sprachlichen Bildungen in dieser Phase sind fest verwurzelt in der gebrauchsspezifischen Verwendung. Dadurch, dass das Kind mit der Zeit mehr Input zu hören bekommt, können zweitens Wortklassen geformt werden. Hier bedient sich das Kind Analogiebildungen und ist bereits in der Lage, mit Generalisierungen zu beginnen. Innerhalb einer Wortklasse existieren somit kategorielle Zwänge. Drittens blockieren in einem späteren Entwicklungsschritt, so Tomasello, Konstruktionen die potenziellen Generalisierungen von anderen, es kann zu einem Wettstreit zwischen *Entrenchment* und *Preemption* kommen. Bildungen, die in der bisherigen Entwicklung immer in einem bestimmten Kontext gehört wurden, plötzlich aber in einem gänzlich anderen vorkommen, blockieren oder entleeren die bisherige Generalisierung (vgl. Tomasello 2003: 178–181). Tomasello nimmt im Sinne eines *Usage-based Approach* an, dass „[...] children construct their abstract linguistic representations out of their item-based constructions using general cognitive, social-cognitive, and learning skills – which act on the language they hear and produce" (Tomasello 2003: 161).

An dieser Stelle nun sollen die eher abstrakten, theoretischen Gedanken mit konkreten Äußerungen aus dem Elsen- und CHILDES-Korpus unterlegt werden. An den in Punkt 5.2 aufgeführten Schemata und ihrer Entwicklung wird deutlich, wie ihre Entstehung praktisch vor sich geht. Das Kind nimmt aus seiner sprachlichen Umgebung ein festes sprachliches Muster, nach Dabrowska und in der Untersuchung weiter oben oft Formel genannt, auf, z.B. (zielsprachlich) *das ist eine Katze*. Slobin geht davon aus, dass wegen der unausgereiften Verarbeitungskapazität des kognitiven Systems und der Beschaffenheit der *Language Making Capacity* vor allem Anfangs- und Schlussbereiche sowie betonte Teile eines häufig auftretenden Musters oder auch häufig zusammen auftretender Einheiten behalten werden können. FAL bildet in diesem Sinne mit 2;0 die Äußerung *das Katze* (vgl. Elsen 1999: 20–22).[67] Die Einheiten, die das Kind anfangs behalten kann, etwa *da Katze*, *da Bär* oder *da Häschen* (FAL 2;0), werden analysiert, und zwar auf semantische und phonologische Aspekte hin. Das Kind kann aus dieser Menge an Formen ein Schema generalisieren, in diesem Fall wäre es *da* plus Nomen. Die Stelle des Nomens ist dabei variabel füllbar. Es lässt sich bei allen Kindern beobachten, wie sie bald auch in der Lage sind, neben anfangs einfachen Schemata komplexere Schemata zu realisieren. Sie verfügen nun über ausreichend Input und kognitive Verarbeitungsenergie, um auch komplexere Strukturen zu abstrahieren, z.B. *das* plus *s* plus bestimmter Artikel plus Adjektiv plus Nomen plus *da*.[68] Aber wie im gesamten Spracherwerb nachweisbar, werden auch hier neben recht komplexen und vollständig generali-

---

[67] Vgl. die *Operating-Principles*: Strategien, die für das Erkennen, die Analyse und den Gebrauch von Sprache verantwortlich sind.
[68] Vgl. die Äußerung von FAL mit 2;4: *das s der dicke Papa da*.

sierten Schemata noch sehr einfache Muster variiert. Bei FAL fällt mit der Formel NP plus *is das* eine Zeit lang auffallend oft das Adjektiv *schön*, z.B.

(87)

a)   *schöner Löwe is das* (2;0);

b)   *schöne Schafe is das* (2;1);

c)   *schöne Eier sin die* (2;1).

Daher liegt es nahe, dass FAL in der Formel, z.B. in *schöner Löwe is das*, bereits die NP-Stelle variabel füllen kann. Es handelt sich dabei noch nicht um ein Schema, weil die Bildung noch nicht vollständig generalisiert ist, wie in den Beispielen (88) offensichtlich wird. Anzunehmen ist außerdem, dass die Realisierung der Grund-Formel so automatisiert ist – da ja eine Formel oder später ein Schema im Gehirn einer Aktivierung eines bestimmten Zusammenspiels von Knoten entspricht –, dass bei der Aktivierung einer Formel/eines Schemas Verarbeitungskapazität frei bleibt, die z.B. in die korrekte phonologische Umsetzung des Nomens fließen kann. Je variabler die Kinder die Stellen des Schemas füllen, desto weiter ist bei ihnen die Generalisierung der Form vorangeschritten.

(88)

a)   *schöne Schafe is das*;

b)   *das is Walnüsse is das;*

c)   *Ente sind das;*

d)   *Enne is das.*

Anhand der Beispiele (88 a–c), die bei FAL im Alter von 2;1 beobachtet werden konnten, wird deutlich, dass FAL zu diesem Zeitpunkt das Muster noch nicht vollständig analysiert und generalisiert oder durchschaut hat. Ihm ist nicht bewusst, was es mit der Numeruszuweisung von *ist* und *sind* auf sich hat. Dass er im selben Protokoll korrekte Singular- und Pluralzuweisungen realisiert, z.B. *schöne Eier sin die* oder *Enne is das*, kann bedeuten, dass es sich dabei um Variation handelt, FAL also noch abweichende neben schon korrekten Formen verwendet und der Spracherwerb nach und nach mit Fortschritten und Rückschlägen vor sich geht. Andererseits könnten die korrekten Zuweisungen aber auch Zufallstreffer sein, eben weil FAL relativ unkoordiniert kombiniert und den Zusammenhang noch nicht erkannt hat. In diesem Fall bleibt an die Vermutung von Zangl und Peltzer-Karpf (vgl. Zangl/Peltzer-Karpf 1998: 13) zu erinnern, die davon ausgehen, dass Schemata oft nicht den wahren Entwicklungsstand des Kindes darstellen, nämlich dann, wenn die entsprechenden Muster noch nicht vollständig analysiert werden können.

In diesem Sinne kommt nach der Darstellung der Datenbeispiele auch die vorliegende Untersuchung zu dem Schluss, dass die Verwendung von NP-Schemata – bzw. der Prozess von der Formelgewinnung bis hin zur Verwendung abstrakter Schemata – den Erstspracherwerb bedeutend erleichtert. Zu erforschen bleibt, ob und in welchem Maße dieser kognitive Verarbeitungsmechanismus grundlegend für den gesamten Spracherwerbsprozess und nicht nur für die NP-Entwicklung ist und sogar für das gesamte entstehende kognitive System eines Kindes eine Grund- oder Ausgangsvoraussetzung darstellt.

Um den Punkt zu Formel- und Schema-Verwendung abzuschließen, soll hier noch in aller Kürze die Diskussion darüber angeregt werden, ob Formeln und Schemata ein Einzelphänomen einiger Kinder sind oder aber zur kognitiven Entwicklung, zum Spracherwerbsprozess eines jeden Kindes gehören und sie sich etwa nur in dem Maß ihrer Verwendung unterscheiden. Die Kinder, die in der vorliegenden Arbeit untersucht wurden, liefern alle drei aufschlussreiche Datenbelege dafür, dass sie den NP-Erwerb mithilfe von Formeln und Schemata bewältigt haben. Dieses Ergebnis muss nun aber nicht als repräsentativ für alle Kinder gelten. Deshalb lohnt sich auch an dieser Stelle wieder ein Blick in die Literatur zum Spracherwerb, um einen Vergleich mit der entsprechenden Forschungslage zu ermöglichen. Der Frage nach den interindividuellen Unterschieden in puncto Schemata wurde in der einschlägigen Forschung bisher allerdings eher selten nachgegangen. Pine und Lieven (1993) sowie Lieven, Pine und Dresner Barnes (1992) gehen, wie weiter oben schon beschrieben, davon aus, dass der Prozess der Schema-Entwicklung kein Einzelphänomen ist, sondern den Erwerbsprozess vieler Kinder erleichtert, also ein eher unterschätztes Phänomen ist. Der Grad der Ausprägung dieses Erwerbsmechanismus ist allerdings, so Lieven und Pine, von Kind zu Kind unterschiedlich. Lieven und Pine sind in ihrer Studie auf der Suche nach einem Unterscheidungsmerkmal, das individuelle Variation im Spracherwerb erfassen soll. Als Differenzierungsmöglichkeit entdecken sie dabei das Vorkommen von *Frozen Phrases*, das mit der späteren sprachlichen Produktivität, den *Common Nouns,* korreliert. Mehrere Kinder aus dem Korpus, das Lieven und Pine zur Grundlage hatten, erwerben eine überraschend große Anzahl an unanalysierten Phrasen, nutzen also, so der Ausdruck von Pine und Lieven, eine *Phrasal Strategy* innerhalb des Spracherwerbs. Diese Strategie wird in diesem Rahmen als alternative Route in die Mehrwortrede verstanden. Lieven und Pine sehen allerdings einen klaren Mangel an Untersuchungen zur Vorgeschichte und zu Voraussetzungen für den Gebrauch dieses *Phrasal Style* (vgl. Lieven/Pine/Dresner Barnes 1992: 300–304) und charakterisieren außerdem in ihrer Studie verschiedene Lerntypen, um den variierenden Übergang von Ein- zu Mehrwortäußerungen nachzuvollziehen: einerseits Kinder, die aus ihrem Lexikon aus Einzelwörtern Wörter miteinander kombinieren, und andererseits Kinder, die Muster entwickeln, indem sie produktive Kontrolle über ehemals unanalysierte Schemata bzw. *Slots* gewinnen (vgl. Pine/Lieven: 1993: 551). Mit dieser Einteilung reichen sie an Kaltenbachers[69] Charakterisierung von *nominalem* und *pronominalem* Erwerbsmechanismus oder -strang heran, wie weiter oben bereits beschrieben. Allerdings geht Kaltenbacher von der Existenz und Interaktion beider Stränge und Strategien innerhalb der Sprachentstehung nur eines Kindes aus. Bei letzterer Kategorie von Lerntyp, den *Phrasal Children* oder Kindern mit einem *pronominalen* Erwerbsmechanismus, lassen sich erste Äußerungen zurückführen auf Mehrwortäußerungen, die ursprünglich als unanalysierte Einheiten gelernt wurden. Pine und Lieven sehen als Gründe für die Existenz von unterschiedlichen Lerntypen keine internalen, „angeborenen" Ursachen, sondern eher Variation in den entsprechenden Prozessmechanismen und/oder im gehörten Input (vgl. Pine/Lieven 1993: 570). Auch Dabrowska geht von ähnlichen Ursachen aus, die zu individueller Variation in puncto Schemata führen: „Since there is a great deal of variation in the input available to individual children and in the strategies they employ to extract units from the input, different children learn different formulas and hence follow different paths to adult grammar" (Dabrowska 2000: 87). Somit scheint in der spärlichen Literatur zum Thema weniger die generelle Existenz von Schemata – als grundlegender kognitiver Erwerbsmechanismus – infrage gestellt zu sein, als vielmehr die individuelle Ausprägung, mit der die meisten oder sogar alle Kinder Schemata verwen-

---

[69] Vgl. dazu auch Elsen 1996b.

140

den und sich damit den Erwerb einer Sprache bedeutend erleichtern. Auch in der vorliegenden Untersuchung lassen sich in den Daten aller drei Kinder Formeln und Schemata nachweisen, und im Vordergrund steht die individuelle Ausprägung in Bezug auf die Schema-Verwendung und -Entwicklung, denn es bleibt zu vermuten, dass die meisten Kinder den Spracherwerb mit der Bildung von Schemata meistern und nur der Grad der Ausprägung dieser Schema-Verwendung interindividuell variiert. Anhand des Datenmaterials – der zwei CHILDES-Kinder und mit Einschränkungen von AL aus der Elsen-Tagebuchstudie – lässt sich konkret ein Bild der interindividuellen Gemeinsamkeiten und Abweichungen bezüglich der Schema-Verwendung zeichnen. In ANNs Daten lassen sich 27 verschiedene konkrete Ausführungen zu drei abstrakten, sehr oft vorkommenden Schema-Typen zählen. ANN beginnt bereits mit 1;6 ihre erste Formel aus dem Input zu ziehen und bildet ab 1;8 entsprechend erste einfache Schemata. Für FAL finden sich zwei Schema-Typen, die er in 26 konkreten Ausführungen realisiert. Er beginnt, entsprechend des allgemeinen Bilds, dass ANN in ihrer sprachlichen Entwicklung vor ihm liegt, erst mit 1;9 erste Formeln zu verwenden und bildet ab 1;10 bzw. 2;0 einfache Schemata. Die abstrakten Schemata *wo* plus NP sowie *da/s* plus NP werden von mehreren Kindern benutzt. (*Noch*) *Mehr* plus Nomen aber verwendet nur ANN. FAL zeigt in diesem Zusammenhang als einziges Kind eine spezielle Vorliebe für das Schema NP plus *is/sin das*.

In diesem Sinne lassen auch die vorliegenden Daten den Schluss zu, dass die Schema-Verwendung eher in diversen Merkmalen ihrer Ausprägung, etwa Beginn der Verwendung, interindividuell variiert, aber als kognitiver Verarbeitungsmechanismus im Rahmen eines allen Menschen innewohnenden kognitiven Systems den meisten Kindern zu Verfügung stehen dürfte. Im nächsten Punkt soll nun noch einmal vertiefend und unter Zuhilfenahme der *Lexical Bootstrapping Hypothesis* die offensichtlich enge Verbindung zwischen verschiedenen sprachlichen Aufgabenbereichen – im Besonderen zwischen lexikalischem und syntaktischem Wissen – in Augenschein genommen werden, und zwar verbunden mit der Annahme, dass NP-Schemata als ein Schlüssel zum Verständnis dieser Verknüpfung verstanden werden dürften.

6.2.3 *Lexical Bootstrapping Hypothesis*

NP-Schemata sind einerseits als Ausgangspunkt syntaktischer Entwicklung zu verstehen, bestehen aber andererseits bereits aus Form und Bedeutung. In diesem Zusammenhang scheint es hilfreich, die oben besprochenen Beispiele (88) aus den Daten FALs noch einmal intensiver zu betrachten:

(88)

a) *schöne Schafe is das*;
b) *das is Walnüsse is das;*
c) *Ente sind das;*
d) *Enne is das.*

Die Beispiele (88 a–c) zeigen – wie oben bereits angedeutet –, dass das Kind zu diesem Zeitpunkt der Entwicklung noch nicht um die Bedeutung syntaktischer Markierungen weiß. Morphosyntaktische Eigenschaften von Nomen werden noch nicht wahrgenommen oder bewusst realisiert. FAL hat keine Kenntnis davon, dass ein Nomen im Plural, etwa *Schafe*, ebenso ein Verb im Plural, entsprechend *sind* statt *ist*, verlangt. Allerdings lassen sich die verwendeten Schemata bereits als Einheiten bestehend aus Form und Bedeutung verstehen. Denn das Kind verbindet mit der Äußerung der Formel oder des Schemas, also mit der phonologischen Repräsentation, ja bereits einen tatsächlichen Sachverhalt, einen lexikalischen Zusammenhang. Es handelt sich dabei, wie auch Elsen (2007) belegt, um einen holistischen Ausdruck, eine *Gestalt*: Elsen geht von Gestaltrepräsentationen aus,

> „die im Netzwerk als noch nicht weiter analysierte Einheiten, als Aktivationskomplexe ‚liegen'. Sie werden erst mit wiederholter Verwendung der Einheit analytisch aufbereitet. Untereinheiten, die für neue Strukturen bzw. ‚regelhafte' Formen nötig sind, können dann später erkannt und eingesetzt werden. Eine Veränderung bzw. eine neue Struktur tritt in wenigen, dann in immer zahlreicheren und allgemeineren Fällen auf, so dass Ausnahmen und regelhafte Formen zeitgleich existieren können" (Elsen 2007: 164–165).

Beispiel 88 d) könnte die Weiterentwicklung der Formel zeigen. Nach der analytischen Aufbereitung erkennt FAL syntaktische Zusammenhänge und bildet eine Äußerung entsprechend mit Numeruskongruenz zwischen Verb und Nomen. Aus den hier vorliegenden Daten lässt sich schlussfolgern, dass lexikalisches

Wissen als Voraussetzung, mindestens aber als zeitlich vorausgehend, zu syntaktischem Wissen und syntaktischen Fähigkeiten begriffen werden muss. Wissen aus einem sprachlichen Aufgabenbereich, etwa der Lexik, könnte in diesem Sinne helfen beim Erlernen von Fähigkeiten einer anderen linguistischen Domäne, etwa der Syntax.[70] Lexikalisches Wissen forciert oder erleichtert demnach den Erwerb morphosyntaktischer Eigenschaften von Nomen. Die enge Verknüpfung von lexikalischem und syntaktischem Wissen, die auch aus den Beispielen hervorgeht, entspricht der oben dargestellten Interaktionsthese. Die sprachlichen Aufgabenbereiche beeinflussen sich gegenseitig. Und Schemata, analysierte Formeln, sind ein Phänomen, das diese Interaktion durchaus anschaulich macht. [71]

Diese Annahmen drängen sich nicht nur nach der Analyse der hier vorliegenden Daten auf, sondern wurden bereits in der einschlägigen Literatur zum Erstspracherwerb beschrieben. Bartsch (in Vorbereitung) beispielsweise spricht in diesem Zusammenhang von der *Lexical Bootstrapping Hypothesis* (LBH). Auch sie geht von einem Zusammenspiel zwischen unterschiedlichen sprachlichen Domänen aus und bezeichnet LBH als einen der wichtigsten Lernprozesse in der frühen Sprachentwicklung. *Bootstrapping* bezeichnet, so Bartsch, einen Lernprozess, in dem bestehendes Wissen das Erlernen anderer Arten von Wissen erleichtert: „Early lexical development, as mapping of words to referents or their conceptualisations, and even to whole propositions, is not only prior to, but also prerequisite for the emergence of morpho-syntactic constructions" (Bartsch in Vorbereitung). Frühe Wörter begreift Bartsch demnach als *Archilexemes*, grammatiklose Lexeme, die aus Form und Konzept zusammengesetzt sind (vgl. Bartsch in Vorbereitung). Und Bartsch steht nicht alleine da mit dieser Ansicht. Dabrowska (2000) sieht ebenfalls eine enge Beziehung oder Verknüpfung zwischen lexikalischer und syntaktischer Entwicklung. Als Startpunkt syntaktischer Entwicklung versteht sie Formeln oder Schemata, die bereits schon an eine bestimmte Bedeutung gekoppelt seien: „Starting point of syntactic development is a set of complex lexical units or formulas. Formulas […] are essentially big

---

[70] Dieser Vorgang wird mit dem Begriff des *Lexical Bootstrapping* erfasst. Vgl. die LBH von Bartsch weiter unten.
[71] Vgl. auch Schlipphak (in Vorbereitung).

words, and they are learned in the same way as ordinary lexical items: by associating a stretch of sound with a semantic representation" (Dabrowska 2000: 86–87). Dabrowska misst Schemata deshalb eine enorme Bedeutung dabei zu, diese enge Beziehung zwischen lexikalischem und syntaktischem Wissen zu erklären: „The key to understanding this relationship [...] is formulas or multi-word prefabs: stored phrases associated with a specific meaning. Such prefabs are like words, in that they are form-meaning pairings. On the other hand, they are also grammatical constructions [...]" (Dabrowska 2004: 160–161).

Auch Tomasello (2003) beschreibt immer wieder die enge Verbindung sprachlicher Aufgabenbereiche, im Besonderen lexikalischer und syntaktischer Fähigkeiten: „A very interesting finding that highlights the tight interrelation of children's different language acquisition skills is that lexical and grammatical development are highly intercorrelated" (Tomasello 2003: 92). Er deutet ebenfalls an, dass die lexikalische der syntaktischen Entwicklung vorausgeht. Das Kind muss, so Tomasello, verschiedene Wörter kennen, bevor es komplexere Konstruktionen verstehen kann. Außerdem nimmt er an, dass beide sprachlichen Aufgabenbereiche Teil eines großen Gesamtprozesses darstellen (vgl. Tomasello 2003: 91–93).

Elman, Hare und McRae (2005) verweisen ebenfalls auf eine frühe Verfügbarkeit lexikalischen und semantischen Wissens. Im Gegensatz zum *Garden-Path*-Modell von Frazier, das von einer frühen Verfügbarkeit syntaktischen Wissens vor jeglichem lexikalischen Wissen ausgeht, vertreten Elman, Hare und McRae den *Constraint-based Approach*: „This contrasting approach [...] emphasizes the probabilistic and context-sensitive aspects of sentence processing and assumes that comprehenders use idiosyncratic lexical, semantic, and pragmatic information about each incoming word to determine an initial structural analysis" (Elman/Hare/McRae 2005: 115). Sie nehmen des Weiteren an, dass diese Information häufig wortspezifisch ist.

Auch andere LinguistInnen äußern die Vermutung, dass sich jenes erste (unter anderem sowohl lexikalische als auch syntaktische) Wissen, von dem bisher die Rede war, besonders dadurch auszeichnet, dass es zu Beginn der Sprachentwicklung hoch konkret ist, spezifisch an eine bestimmte Situation, an einen bestimmten Rahmen festgemacht zu sein scheint und nicht als eine verallgemeinerte, abstrakte Regel im mentalen Lexikon vorliegt. Da dies von Anfang an keine Hypothese der vorliegenden Untersuchung darstellte und sich anhand der analysierten Daten auch nur unzureichend prüfen ließe, aber im Zusammenhang mit den Ergebnissen vorliegender Studie dennoch einen interessanten zusätzlichen Aspekt beleuchtet, werden auch an dieser Stelle zur Ergänzung weitere Studien herangezogen. Vor allem Dabrowska (2004) hat sich mit dieser Annahme ausführlich beschäftigt. Im Zusammenhang mit sogennanten *Lexically-based Patterns* äußert sie entsprechend die Vermutung, dass das grammatische Wissen von Kindern sehr spezifisch sein könnte. Es sei oft gebunden an die Kombinationsmöglichkeiten eines bestimmten Wortes oder einer entsprechenden Wortklasse. Dabrowska vergegenwärtigt in diesem Zusammenhang zahlreiche empirische Studien und kommt zu dem Schluss: „Lexically specific units, then, are a ubiquitous feature of early production, which strongly suggests that young children's knowledge may be described in lexically specific terms" (Dabrowska 2004: 168). Als Beweis für diese Spezifität oder „Enge" kann etwa folgendes Ergebnis einer Studie gelten: Neu erworbene Nomen konnten von dem untersuchten Kind mit *Items* kombiniert werden, die schon vor diesem Neuerwerb im kindlichen Lexikon vorhanden waren. Verben allerdings, also eine andere Wortklasse, die im Passivzusammenhang zum ersten Mal gehört wurden, wurden auch von den Kindern selbst nur im Passivkontext verwendet. Ein weiterer Versuch kam zu dem Schluss, dass Kinder eher in der Lage waren, bereits in ihrem Lexikon vorhandene Verben in einer regulären zielsprachlichen Wortfolge zu verwenden, als dies bei gerade neu erworbenen Verben der Fall war. Es liegt, so Dabrowska, die Vermutung nahe, dass „lexically specific knowledge precedes verb-general knowledge" (Dabrowska 2004: 172). Am Beispiel der englischen Hilfsverben erläutert sie außerdem, dass Kinder offensichtlich keine allgemeine Regel erwerben, sondern spezifische Formen in spezifischen Konstruktionen erlernen. Das Wissen über Hilfsverben dürfte sich dementsprechend in unterschiedlichen Konstruktionsdimensionen unabhängig entwickeln (vgl. Dabrowska 2004: 195). Diese ersten rahmenhaften „Zwänge", die die ersten Bildungen der Kinder steuern und für das *Piecemeal-Learning* charakteristisch sind, werden später, wie in der gesamten Schema-Verwendung angenommen (vgl. oben), zu breiteren, abstrakteren *Patterns*, die dem Gebrauch etwa von

Verben und Nomen zugrunde liegen (vgl. Dabrowska 2004: 173–178). In einer weiteren Untersuchung Dabrowskas mit erwachsenen SprecherInnen zeigt sich, dass die SprecherInnen ein sehr spezifisches Wissen über Kollokationen und semantische Präferenzen, in diesem Fall spezieller Verben, haben. Dies gilt sogar für spät erworbene Wörter. Das lexikalisch spezifische Lernen ist demnach nicht nur eine Erscheinung des Erstspracherwerbs, sondern setzt sich auch im Erwachsenenalter fort (vgl. Dabrowska im Druck). Auch die Untersuchung von Lieven und Pine (1993) lässt – besonders im Zusammenhang mit der Verwendung von *Patterns* oder Schemata – folgende Schlussfolgerung zu: Die gefundenen Schemata seien, so Lieven und Pine, nicht nur an spezifische lexikalische *Items* gebunden, sondern würden von den untersuchten Kindern auch nur für eine bestimmte Teilmenge an Beispielen verwendet werden, etwa für Dinge, auf die das Kind gerne klettern möchte: *Bed on*, *Chair on* oder *Tractor on*. Diese Ergebnisse legen nahe, dass Kinder „[…] narrow down their specifications of the kind of words which can fill the slots in particular sentence frames, and reinforces the view […] that a lexically based characterization of children's multi-word speech, at this stage, is both more parsimonious and more psychologically realistic than a characterisation based on more general semantic categories […]" (Lieven/Pine 1993: 366).

Dass das Füllen freier Stellen in Schemata eher abhängig von in gewisser Weise „psychologischen", kognitiven und vielleicht auch kommunikativen Aspekten, aber in der ersten Zeit des Spracherwerbs eher unabhängig von generellen abstrakten Regeln zum Wortgebrauch erfolgt, nimmt auch Tomasello (2003) an. Er geht davon aus, dass Kinder im Alter zwischen 18 und 24 Monaten Äußerungen produzieren, die kognitiv im Verständnis verschiedener Szenen begründet sind, welche das soziale Leben der Kinder ausmachen (vgl. Tomasello 2003: 113). Tomasello teilt außerdem die Ansicht Dabrowskas, dass syntaktische Markierungen bei *Item-based*-Konstruktionen hoch verbspezifisch seien und sich daran ausrichten, wie das Verb von den Kindern zuerst im Input wahrgenommen wurde. Darauf aufbauend, spricht er von einer Hypothese der *Verb-Islands*: „This war referred to as the verb island hypothesis since each verb seemed like its own island of organization in a otherwise unorganized language system. The lexically specific pattern of this phase of combinatorial speech was evident in the patterns of participant roles with which individual verbs were used" (Tomasello 2003: 117). Tomasello regt in diesem Sinne dazu an, die sprachliche Kompetenz der Kinder zu diesem frühen Zeitpunkt der Entwicklung als Inventar relativ isolierter *Item-based*-Konstruktions-Inseln zu verstehen (vgl. Tomasello 2003: 140–143). Die Kinder bilden demnach paradigmatische Kategorien sprachlicher *Items* – Wörter oder Phrasen –, die ähnliche kommunikative Rollen in den Äußerungen des gehörten Inputs spielen, wie dies auch schon von Lieven und Pine vermutet wurde (vgl. Tomasello 2003: 170).

Ebenfalls in diese Richtung zielt die *Scene-encoding Hypothesis* von Goldberg (1998): Sie geht davon aus, dass Konstruktionen, die mit grundlegenden einfachen Satztypen übereinstimmen, Ereignistypen verschlüsseln, die die Basis für die menschliche (kognitive) Erfahrung sind. Entsprechend würden, so Goldberg, Verben wie *stellen*, *bekommen*, *machen*, *gehen* etc. sehr früh erworben (vgl. Goldberg 1998: 205–207). Die ursprüngliche Bedeutung vieler Konstruktionen ist in diesem Sinne eine grundlegende erfahrungsmäßige *Gestalt*: „Thus, a basic pattern of experience is encoded in a basic pattern of the language" (Goldberg 1998: 208). Auch diese Sicht auf die Dinge steht im Großen und Ganzen im Einklang mit der oben dargestellten Annahme, dass linguistische *Items*, egal, ob Wörter, (Teile von) Phrasen, Formeln oder Schemata, anfangs in einem sehr spezifischen, engen, wie auch immer gearteten (lexikalischen, syntaktischen, kognitiven) Rahmen und Zusammenhang erlernt und verwendet werden. Erst später erfolgt dann eine Generalisierung, eine Abstrahierung von grundlegenden syntaktischen und ähnlichen Gesetzmäßigkeiten – wenn der Begriff der Gesetzmäßigkeit hier auch nicht im Sinne einer festen Regel verstanden werden darf.

Nach der nun folgenden Sicherung der allgemeinen Ergebnisse der Studie werden die eben im Detail erläuterten Prinzipien des NP-Erwerbs noch einmal überblicksartig in Punkt 7.2 in einen Gesamtzusammenhang gestellt.

7. Zusammenfassung und Ausblick

7.1 Zusammenfassung

Wie in den an Bittners Arbeiten angelehnten Arbeitshypothesen vermutet, lässt sich trotz einiger kleinerer Abweichungen ein beiden CHILDES-Kindern gemeinsames Erwerbsgerüst von NP-Formen erstellen. Es konnten in der vorliegenden Analyse detaillierte Beobachtungen zur NP-Erwerbsreihenfolge gemacht werden:

1. Es findet eine Entwicklung statt von einfach strukturierten und einfach zu artikulierenden NP-Formen hin zu komplexen Bildungen.

2. Alle Kinder verwenden die NP-Konstituenten vor dem Gebrauch in einer vollständigen NP separat.

3. Bei ANN und FAL tauchen neben dem unbestimmten und bestimmten Artikel plus Nomen die NPs Adjektiv plus Nomen, *anderer* plus Nomen und PPs in nur einem Entwicklungsschritt und Aufzeichnungszeitraum auf.

4. Das quantitative Verhältnis der NPs bestimmter Artikel plus Nomen und unbestimmter Artikel plus Nomen dreht sich bei ANN und FAL nach anfänglicher Dominanz des unbestimmten Artikels um zugunsten des bestimmten Artikels.

5. Bevor die Konstituenten der NP vollständig realisiert werden können, kommt es sowohl zu reduzierten Konstituenten vor dem Nomen als auch zu reduziert realisierten Nomina. Diese Tendenz zeigt bei beiden Kindern ähnliche Prinzipien der Reduktion.

6. Die NPs *mein* plus Nomen, *kein* plus Nomen und dreigliedrige NPs treten zeitlich sehr nah beieinander zum ersten Mal in den Protokollen auf.

7. In dem beobachteten Zeitraum treten augenscheinlich erst *mein* plus Nomen, dann *dein* plus Nomen und später *sein* plus Nomen auf. *Ihr* plus Nomen, *unser* plus Nomen und *euer* plus Nomen tauchen später oder bis 3;1 gar nicht auf.

8. *Zwei* plus Nomen wird von ANN und FAL erstmals zeitlich vor *drei* plus Nomen realisiert.

9. Bei der allmählich zuverlässiger werdenden Deklination der NPs begehen beide CHILDES-Kinder die gleichen Arten von Fehlern, die mit zunehmendem Entwicklungsstand allerdings nicht unbedingt kontinuierlich abnehmen.

Ein zweiter inhaltlicher Schwerpunkt dieser Studie sind der *Complexity/Fluency Trade Off* bzw. NP-Schemata: Die Phänomene Interaktion, Transition und Variation und NP-Schemata spielen in vorliegender Untersuchung eine herausragende Rolle. Die Kinder erwerben die NP-Formen nicht punktgenau und in modulhafter Art und Weise, sondern es kommt zu Überschneidungen im Gebrauch alter abweichender neben neuen zielsprachlichen Formen. Auch die einzelnen Entwicklungsschritte innerhalb des NP-Systems, beispielsweise von reduziertem unbestimmten Artikel über den Possessivartikel *mein* hin zu *kein* plus Nomen und schließlich drei- und mehrgliedrigen NPs, erfolgen mit großen Überschneidungen. Die Interaktivität des NP-Erwerbs wird ebenfalls an vielen Stellen sichtbar. Bei jeder Äußerung muss aufs Neue „ausgehandelt" werden, welche sprachlichen Aufgabenbereiche Informationen für die Realisierung der NP liefern und welche nicht (*Complexity/Fluency Trade Off*). Es wird deutlich, dass Fortschritte beispielsweise auf dem Gebiet der NP-Struktur gleichzeitig immer auch Rückschritte oder zumindest Stagnation beispielsweise im Bereich der Artikulation bedeuten können. Die so entstehenden Schwerpunktverlagerungen sprachlicher Aufgabenbereiche sind in einer Abfolge, einer Art roter Faden dargestellt worden.

NP-Schemata haben sich in dieser Studie als sehr hilfreich erwiesen für die Verdeutlichung der Interaktion sprachlicher Aufgabenbereiche. Sie werden als Kompromisslösung des Wettstreits linguistischer Domänen bei der NP-Realisierung im Zuge eingeschränkter neuronaler Verarbeitungskapazität verstanden. Das Wechselspiel der sprachlichen Aufgabenbereiche wird auch an den erhobenen Zahlen deutlich. Neben der Zahl der absoluten NP-*Tokens* gibt es auch bei den Zahlen zu reduzierten Artikeln sowie Kasus- und Genusfehlern teilweise hohe Schwankungen, die für das Auf und Ab der Entwicklung von Sprache und für den langsamen Ausbau eines gesamten Systems sprechen. Der hier unternommene Versuch, die aufgetretenen Phänomene zu erklären, zeigt, wie gut der netzwerktheoretische Ansatz im Gegensatz zur Generativen Grammatik dazu in der Lage ist. Die Generative Grammatik streitet die Existenz nahezu aller in dieser Untersuchung beobachteten Phänomene des Spracherwerbs ab. Auch interindividuelle Schwankungen zwischen mehreren Kindern spielen, laut dieser Theorierichtung, keine bedeutende Rolle. Die netzwerktheoretische Annahme hingegen, dass der Spracherwerb Teil der gesamten kognitiven Entwicklung ist und die Informationsverarbeitung im Gehirn durch das neuronale System netzwerkartig funktioniert, erlaubt die Erklärung des gemeinsamen Erwerbsgerüsts und bietet plausible Argumente zur Einordnung von Interaktion, Variation und Transition. Die interindividuellen Abweichungen unter den Kindern können einerseits möglicherweise mit der individuellen Ausprägung des menschlichen kognitiven Systems erklärt werden. An dieser Stelle sind auch geschlechtsspezifische physische Unterschiede als Gründe für Unterschiede im Spracherwerb erwähnt, in einem Exkurs aber auch Schwachpunkt dieser Erklärungsversuche beleuchtet worden. Andererseits sind aber auch äußere Einflüsse denkbar, die sich auf den Spracherwerb eines Kindes auswirken können. Der netzwerktheoretische Charakter des Spracherwerbs wird durch die oben vorgestellten unterschiedlichen Faktoren noch verstärkt: vereint dieser Theorieansatz doch einerseits informationsverarbeitende kognitive Mechanismen, wie sie bei der Schema-Gewinnung sichtbar werden, und andererseits funktionale Beeinflussung durch sprachliche und soziale Umwelt. Sicherlich wirken die genannten Erklärungsmöglichkeiten zusammen. In welchem Maße dies allerdings geschieht, wird in weiteren Arbeiten zum Spracherwerb noch zu klären sein.

7.2 Nach welchen Prinzipien verläuft der NP-Erwerb? Die Mechanismen im Zusammenhang

Die eben abschließend dargestellten Ergebnisse dieser Untersuchung können in den folgenden inhaltlichen Zusammenhang bezüglich des Ersterwerbs der NP integriert werden:

Zum einen lässt sich für jedes beobachtete Kind eine ungefähre Erwerbsreihenfolge in puncto vorher festgelegter zu beobachtender NP-Formen feststellen (vgl. Kapitel 5.1.1). Vergleicht man diese Abfolgen, so lassen sich – natürlich auch neben einigen Unterschieden – so viele Gemeinsamkeiten zwischen den Kindern finden, dass eine Erwerbsreihenfolge abstrahiert werden kann, die für alle untersuchten Kinder zu gelten scheint. Zum anderen lassen sich in den Aufzeichnungen zu allen drei Kindern auffällige, feste, formelhafte Bildungen finden, die offenbar erst mit der Zeit von den Kindern analysiert und dann auch in verschiedenen Kombinationen verwendet werden: sogenannte NP-Schemata (vgl. Kapitel 5.2).

Die Erkenntnisse zu beiden inhaltlichen Schwerpunkten der Untersuchung machen deutlich, dass der Erwerb der NP keineswegs modulhaft vor sich geht, wie von der Generativen Grammatik angenommen. Die einzelnen NP-Formen sowie die sprachlichen Aufgabenbereiche werden in keinem Fall nacheinander, unabhängig voneinander in einzelnen abgeschlossenen Schritten erworben, sondern in den Aufzeichnungen aller drei Kinder treten die Phänomene Interaktion, Variation und Transition auf (vgl. Kapitel 4.2, 5.2 und 6.2). Die linguistischen Domänen beeinflussen sich im Laufe des Spracherwerbs gegenseitig und entwickeln sich abwechselnd weiter, wobei es auch zu rückschrittlich wirkenden Phasen oder Stagnation in der NP-Verwendung kommen kann. Anhand der hier verwendeten Daten lässt sich in diesem Sinne eine Abfolge von Schwerpunktverlagerungen nachempfinden, in der genau diese Besonderheiten berücksichtigt sind (vgl. Kapitel 5.2 und 6.2.1).

Ein (NP-)Schema nun kann als Kompromisslösung des Zusammenspiels oder Wettstreits mehrerer sprachlicher Aufgabenbereiche verstanden werden (vgl. Kapitel 6.2.2). Das Kind versucht anfangs, eine feststehende Formel starr aus dem Input zu übernehmen; bei seiner Realisierung muss das Kind aber im Rahmen der Möglichkeiten des kindlichen kognitiven Systems mit noch eingeschränkter neuronaler Verarbeitungsenergie auskommen. Steht zur Bildung einer NP also etwa keine Verarbeitungsenergie für Wissen aus einem Aufgabenbereich, z.B. keine Information zur zielsprachlichen Artikulation, zur Verfügung, so springt Wissen aus einem anderen Bereich ein, etwa Information zur korrekten Prosodie etc. Dies spart aus neurolinguistischer Sicht Verarbeitungsenergie, denn Formeln – und später Schemata – haben ein festes, ein automatisiertes Aktivierungsmuster: Bei einer bestimmten Formel oder einem Schema werden immer dieselben Verbindungen zwischen neuronalen Knoten im Gehirn aktiviert. Erst mit fortschreitender Entwicklung, mit zunehmender neuronaler Verarbeitungskapazität, ist das Kind in der Lage, die anfänglich starren NP-

Formeln für sich transparent zu machen, zu analysieren und schließlich zu generalisieren. Schemata entwickeln im Laufe des Erwerbs einen *Slot*, eine variabel füllbare Position, die etwa mit verschiedenen Nomen besetzt werden kann, und können schließlich in allen erdenklichen Zusammenstellungen, auch mit sehr komplexen NPs (vgl. Übersicht im Anhang) verwendet werden.

NP-Schemata können deshalb außerdem als Ausgangspunkt syntaktischer Entwicklung betrachtet werden (vgl. Kapitel 6.2.3). Zu Beginn der NP-Formel- bzw. Schema-Entwicklung kommt es beispielsweise noch zu Fehlern bei der Numeruskongruenz. Ein Nomen im Plural steht in einem NP-Schema noch mit einem Verb im Singular. Erst mit der Zeit wird die Formel in ihre Einzelteile zerlegt und syntaktisch sowie semantisch transparent gemacht. Da die Verwendung einer NP-Formel aber schon vor diesem Analyseprozess ganz klar eine Kombination aus Form und Bedeutung darstellt, das Kind ja mit der phonologischen Repräsentation einen konkreten Sachverhalt in der Welt bezeichnen will, kann an dieser Stelle geschlussfolgert werden, dass es eine sehr enge Beziehung zwischen sprachlichen Aufgabenbereichen gibt – im Besonderen zwischen der lexikalischen und syntaktischen Domäne. Die lexikalische Entwicklung könnte somit der syntaktischen vorausgehen, wenn nicht sogar eine Voraussetzung für diese darstellen. Die *Lexical Bootstrapping Hypothesis* nimmt in diesem Zusammenhang zudem an, dass die Existenz lexikalischen Wissens den Erwerb syntaktischen Wissens erleichtert (vgl. Kapitel 6.2.3). Anzunehmen bleibt außerdem, dass dieses erste lexikalische sowie das erste syntaktische Wissen in einem jeweils sehr spezifischem Rahmen im Gehirn abgespeichert werden. Es wird in der einschlägigen Literatur davon ausgegangen, wenn dies auch nicht Gegenstand der vorliegenden Arbeit ist, dass das mentale Lexikon (auch das erwachsener SprecherInnen) eher aus einzelnen Anwendungsbeispielen, also eher aus *Low-Level*-Generalisierungen als aus globalen Regeln besteht. Dies trifft ebenso auf Formeln bzw. Schemata zu: Auch Formeln werden anfangs in nur einer bestimmten Form, einem bestimmten Zusammenhang, verwendet, erst mit der Zeit – und im Laufe der Entwicklung zu einem Schema – werden die Formeln analysiert und die Einzelteile auch in anderen Kontexten und Kombinationen verwendet (vgl. Kapitel 6.2.3).

Die Interaktion sprachlicher Aufgabenbereiche, der sogenannte *Complexi-ty/Fluency Trade Off*, ist demnach ein Phänomen, das sich bei der vorliegenden Einordnung der Ergebnisse immer wieder als Grundlage des NP-Erwerbs zeigt. Das NP-Schema hat sich dabei als besonders hilfreich zur Klärung der Bedeutung dieser Interaktion gezeigt, eben da es als unmittelbares Resultat des Wettstreits sprachlicher Aufgabenbereiche verstanden und außerdem als Startpunkt syntaktischer Entwicklung gesehen werden kann. Gleichzeitig sorgen die Prinzipien Interaktion, Variation und Transition für den typischen Charakter des NP-Erwerbs: die sukzessive Entwicklung – zwar ähnlich einem roten Faden –, die aber auch von Rückschlägen und Stagnation gekennzeichnet ist. Und auch die kognitive Fähigkeit der untersuchten Kinder, aus festen, aus dem Input übernommenen Formeln nach einer gewissen Zeit mithilfe von informationsverarbeitenden Mechanismen Schemata zu generalisieren, dürfte für den Erwerb der NP und für den Spracherwerb im Allgemeinen eine wichtige Funktion haben.

7.3 Ausblick

Als grundlegende Erkenntnis dieser Untersuchung muss somit festgehalten werden, dass die informationsverarbeitenden Mechanismen des kognitiven Systems, die bei der Schema-Entstehung sichtbar werden und für das Erkennen, Extrahieren und Generalisieren regelhafter Strukturen zuständig sind, sich als grundlegend für den gesamten Spracherwerb und sogar für den Ausbau des gesamten kognitiven Systems erweisen könnten. Um dies zu überprüfen, ist es wünschenswert, dass der Spracherwerb in seinen vielen Facetten weiterhin auf grundlegende kognitive Funktionsweisen hin untersucht wird. Deshalb soll abschließend an dieser Stelle die Forderung nach weiteren neurolinguistischen Studien zum Spracherwerb einen Platz finden. Ob netzwerktheoretische Prinzipien bzw. die entsprechenden Informationsverarbeitungsprozesse im neuronalen Netz des Gehirns letztes Endes wirklich verantwortlich sind für die Entstehung und Entwicklung der in dieser Studie beobachteten Phänomene des Spracherwerbs, kann – bei aller Plausibilität und vielen eindeutig erscheinenden Hinweisen – an dieser Stelle nicht mit absoluter Sicherheit gesagt werden. Dazu braucht es in Zukunft mehr neurolinguistische Studien, die mit Techniken wie fMRI oder ERPs den Spracherwerb des Menschen in seiner ganzen Vielfalt näher untersuchen. Auch Versuche mit computersimulierten Modellen des neuronalen Netzwerks, die sich ausführlicher mit dem Erwerb der NP oder der Entwicklung von Schemata in allen anderen Bereichen des Spracherwerbs befassen, sind dringend notwendig, um Studien wie die vorliegende mit aussagekräftigen „Beweisen" aus der Neurolinguistik zu unterstützen.

Literatur

Korpusliteratur

Elsen, Hilke (1991): *Erstspracherwerb. Der Erwerb des deutschen Lautsystems.* Wiesbaden: Deutscher Universitäts-Verlag GmbH.
http://childes.psy.cmu.edu (6. Juli 2008)

Sekundärliteratur

Adler, Max (1978): *Sex Differences in Human Speech. A Sociolinguistic Study.* Hamburg: Helmut Buske.

Bartsch, Susanna (in Vorbereitung): „The lexical bootstrapping hypothesis", in: Bartsch, Susanna/Bittner, Dagmar (eds.): *Lexical bootstrapping on the central role of lexis and semantics in child language development.* Mouton de Gruyter: Berlin.

Bittner, Dagmar (1998): „Entfaltung grammatischer Relationen im NP-Erwerb: Referenz", in: *Folia Linguistica XXXI/3–4*, 255–283.

Bittner, Dagmar (1999): „Erwerb des Konzepts der Quantifikation nominaler Referenten im Deutschen", in: Meibauer, Jörg/Rothweiler, Monika (ed.): *Das Lexikon im Spracherwerb.* Tübingen: Francke, 51–74.

Butler, Judith (1997): *Körper von Gewicht. Die diskursiven Grenzen des Geschlechts.* Frankfurt am Main: Suhrkamp.

Cameron-Faulkner, Thea/Lieven, Elena/Tomasello, Michael (2003): „A Construction-based Analysis of Child Directed Speech", in: *Cognitive Science 27*, 843–873.

Chomsky, Noam (1970): *Sprache und Geist. Mit einem Anhang: Linguistik und Politik.* Frankfurt: Suhrkamp.

Chomsky, Noam (1986): *Knowledge of Language: Its Nature, Origin, and Use.* New York: Praeger.

Clahsen, Harald (1989): „Der Erwerb von Kasusmarkierungen in der Kindersprache", in: *Linguistische Berichte 89*, 1–31.

Clahsen, Harald (1992): „Learnability theory and the problem of development in language acquisition", in: Weissenborn, Jürgen/Goodluck, Helen/Roeper, Tom (eds.): *Theoretical Issues in Language Acquisition.* Hillsdale: Lawrence Erlbaum, 53–76.

Collings, Andreas (1990): „The Acquisition of Morphology and Syntax in German Child Language", in: Meisel, Jürgen (ed.): *Two First Languages. Early Grammatical Development in Bilingual Children.* Dordrecht/Providence RI: Foris Publications, 23–45.

Dabrowska, Ewa (2000): „From Formula to Schema: The Acquisition of English Questions", in: *Cognitive Linguistics 11*, 83–102.

Dabrowska, Ewa (2004): *Language, Mind and Brain: Some Psychological and Neurological Constraints on Theories of Grammar.* Washington D.C.: Georgetown University Press.

Dabrowska, Ewa (im Druck): „Words as Constructions", in: Evans, Vyvyan/Pourcel, Stéphanie (eds.): *New Directions in Cognitive Linguistics.* Amsterdam: John Benjamins.

Dick, Frederic/Dronkers, Nina/Pizzamiglio, Luigi/Saygin, Ayse/Small, Steven/Wilson, Stephen (2005): „Language and the Brain", in: Tomasello, Michael/Slobin, Dan Isaac (eds.): *Beyond Nature-Nurture. Essays in Honor of Elizabeth Bates*. London: Lawrence Erlbaum, 237–260.

Duden (2006*): Die deutsche Rechtschreibung*. Duden Bd.1. 24., völlig neu bearbeitete und erweiterte Auflage. Mannheim/Leipzig/Wien/Zürich: Dudenverlag.

Elman, Jeffrey (2001): „Connectionism and Language Acquisition", in: Tomasello, Michael/Bates, Elizabeth (eds.): *Language Development*. Oxford/Malden: Blackwell, 295–306.

Elman, Jeffrey (2005): „Connectionist Models of Cognitive Development: Where Next?", in: *Trends in Cognitive Science 9*, 111–117.

Elman, Jeffrey/Hare, Mary/McRae, Ken (2005): „Cues, Constraints, and Competition in Sentence Processing", in: Tomasello, Michael/Slobin, Dan Isaac (eds.): *Beyond Nature-Nurture: Essays in Honor of Elisabeth Bates*. Mahwah. NJ: Lawrence Erlbaum, 111–138.

Elsen, Hilke (1996a): „Linguistic Team-work – The Interaction of Linguistic Modules in First Language Acquisition", in: Clark, Eve (ed.): *The Proceedings of the 27th Annual Child Language Research Forum*. Stanford: CSLI.

Elsen, Hilke (1996b): „Two Routes to Language: Stylistic Variation in One Child", in: *First Language 16* (1996), 141–158.

Elsen, Hilke (1999): *Ansätze zu einer funktionalistisch-kognitiven Grammatik. Konsequenzen aus Regularitäten des Erstspracherwerbs*. Tübingen: Niemeyer.

Elsen, Hilke (2000): „The Acquisition of German Plurals", in: Dressler, Wolfgang/Bendjaballah, Sabrina/Pfeiffer, Oskar/Voeikova, Maria (eds): *Morphology*. Amsterdam & Philadelphia: John Benjamins, 117–127.

Elsen, Hilke (2007): „Gestaltverarbeitung", in: *Deutsch als Fremdsprache 3/2007*, 162–165.

Fanselow, Gisbert/Felix, Sascha (^{2}1990): *Sprachtheorie. Vol. I: Grundlagen und Zielsetzungen*. Tübingen: Francke.

Felix, Sascha (1987): *Cognition and Language Growth*. Dordrecht: Foris.

Gildemeister, Regine/Wetterer, Angelika (1992): „Wie Geschlechter gemacht werden. Die soziale Konstruktion der Zwei-Geschlechtlichkeit und ihre Reifizierung in der Frauenforschung", in: Knapp, Gudrun-Axeli (ed.): *TraditionenBrüche: Entwicklungen feministischer Theorie*. Freiburg: Kore Verlag, 201–254.

Glück, Helmut (ed.) (2000): *Metzler Lexikon Sprache*. 2. überarbeitete und erweiterte Auflage. Stuttgart, Weimar: Metzler.

Goldberg, Adele (1998): „Patterns of Experience in Patterns of Language", in: Tomasello, Michael (ed.): *The New Psychology of Language: Cognitive and Functional Approaches to Language Structure*. Mahwah, New Jersey: Erlbaum, 203–219.

Helbig, Gerhard/Buscha, Joachim (2001): *Die Deutsche Grammatik. Ein Handbuch für den Ausländerunterricht*. Berlin und München: Langenscheidt KG.

Hirschauer, Stefan (1994): „Die soziale Fortpflanzung der Zweigeschlechtlichkeit", in: *Kölner Zeitschrift für Soziologie und Sozialpsychologie 46*, 668–692.

Jessner, Ulrike (1991): *Die Ontogenese von geschlechtsbedingten Sprachmerkmalen*. Innsbruck.

Kaltenbacher, Erika (1990): *Strategien beim frühkindlichen Syntaxerwerb: eine Entwicklungsstudie*. Tübingen: Narr.

Kegel, Gerd. (1974): *Sprache und Sprechen des Kindes*. Rohwolt: Reinbek bei Hamburg.

Kimura, Doreen (1999): *Sex and Cognition*. Cambridge/London: MIT Press.

Klann-Delius, Gisela (1980): „Welchen Einfluss hat die Geschlechtszugehörigkeit auf den Spracherwerb des Kindes?", in: *Linguistische Berichte 70*, 63–87.

Klann-Delius, Gisela (1999): *Spracherwerb*. Stuttgart/Weimar: Sammlung Metzler.

Klann-Delius, Gisela (2005): *Sprache und Geschlecht*. Stuttgart/Weimar: Metzler.

Lieven, Elena/Pine, Julian/Dresner Barnes, Helen (1992): „Individual Differences in Early Vocabulary Development: Redefining the Referential-Expressive Distinction", in: *Journal of Child Language 19*, 287–310.

Linke, Angelika/Nussbaumer, Markus/Portmann, Paul (1996): *Studienbuch Linguistik*. Tübingen: Niemeyer.

MacWhinney, Brian (1989): „Competition and Teachability", in: Rice, Mabel/Schiefelbusch, Richard (eds.): *The Teachability of Language*. Baltimore: Brooks, 63–104.

Mills, Anne (1985): „The Acquisition of German", in: Slobin, Dan Isaac (ed.): *The Crosslinguisitc Study of Language Acquisition. Vol. I: The Data*. Hillsdale, New York: Lawrence Erlbaum, 141–254.

Mills, Anne (1986): *The Acquisition of Gender. A Study of English and German*. Berlin/New York: Springer Verlag.

Oksaar, Els (1987): *Spracherwerb im Vorschulalter. Einführung in die Pädolinguistik*. Stuttgart: Kohlhammer.

Peltzer-Karpf/Annemarie/Zangl, Renate (1998): *Die Dynamik des frühen Fremdsprachenerwerbs*. Tübingen: Gunter Narr.

Philips, Susan (ed.) (1987): *Language, Gender, and Sex in Comparative Perspective*. Cambridge: University Press.

Pine, Julian/Lieven, Elena (1993): „Reanalysing Rote-learned Phrases: Individual Differences in the Transition to Multi-Word Speech", in: *Journal of Child Language 20*, 551–571.

Pinker, Steven (1984): *Language Learnability and Language Development*. Cambridge, London: Harvard University Press.

Pinker, Steven (1989): *Learnability and Cognition. The Acquisition of Argument Structure*. Cambridge, London: MIT Press.

Plunkett, Kim (1995): „Connectionist Approaches to Language Acquisition", in: Fletcher, Paul/MacWhinney, Brian (eds.): *The Handbook of Child Language*. Oxford/Malden: Blackwell, 36–72.

Pospeschill, Markus (2004): *Konnektionismus und Kognition. Eine Einführung*. Stuttgart: Kohlhammer.

Ritchie de Key, Mary (1975): *Male/Female Language. With a Comprehensive Bibliography*. Metuchen: The Scarecrow Press.

Schlipphak, Karin (in Vorbereitung): „Schemas and lexical bootstrapping: Evidence from German nominal phrase acquisition", in: Bartsch, Susanna/Bittner, Dagmar (eds.): *Lexical bootstrapping on the central role of lexis and semantics in child language development*. Mouton de Gruyter: Berlin.

Schwarz, Monika (1992): *Einführung in die kognitive Linguistik*. Tübingen: Francke.

„Sprechen lernen. Kleines Hirn, große Klappe: Vom Gebrabbel zum Genitiv", in: *ZeitWissen. Einfach mehr verstehen*. Nr.1/2006, 12–24.

Stern, Clara/Stern, William (1928/1965): *Die Kindersprache. Eine psychologische und sprachtheoretische Untersuchung*. Darmstadt: Wissenschaftliche Buchgesellschaft.

Sternberg, Robert (2002): „Individual Differences in Cognitive Development", in: Goswami, Usha (ed.): *Blackwell Handbook of Childhood Cognitive Development*. Oxford/Malden: Blackwell, 600–619.

Swann, Joan (1992): *Girls, Boys und Language*. Oxford/Malden: Blackwell.

Szagun, Gisela (1986): *Sprachentwicklung beim Kind. Eine Einführung*. München/Weinheim: Psychologie Verlags Union.

Szagun, Gisela (2001): „Learning Different Regularities. The Acquisition of Noun Plurals by German-speaking Children", in: *First Language 21*, 109–141.

Szagun, Gisela (2004): „Learning by Ear: On the Acquisition of Case and Gender Marking by German-speaking Children with Cochlear Implants and With Normal Hearing", in: *Journal of Child Language 31*, 1–30.

Tomasello, Michael (2003): *Constructing a Language. A Usage-based Theory of Language Acquisition*. Cambridge and London: Harvard University Press.

Tracy, Rosemarie (1991): *Sprachliche Strukturentwicklung. Linguistische und kognitionspsychologische Aspekte einer Theory des Erstspracherwerbs*. Tübingen: Narr.

Zangl, Renate/Peltzer-Karpf, Annemarie (1998): *Die Diagnose des frühen Fremdspracherwerbs*. Tübingen: Gunter Narr Verlag.

Anhang

Übersicht über komplexe NP-Formen bei ANN und FAL

Tabelle 18:   Übersicht über komplexe NP-Formen bei ANN

ANN	Komplexe NPs
Dreigliedrige NPs	Bestimmter Artikel plus Adjektiv plus Nomen
	Unbestimmter Artikel plus Adjektiv plus Nomen
	Bestimmter Artikel plus Ordinalia plus Nomen
	Possessivartikel plus unbestimmtes Zahladjektiv plus Nomen
	Possessivartikel plus Adjektiv plus Nomen
	Bestimmter Artikel plus unbestimmtes Zahladjektiv plus Nomen
	Steigerungspartikel plus Zahladjektiv plus Nomen
Viergliedrige NPs	Steigerungspartikel plus Zahladjektiv plus Adjektiv plus Nomen
	Bestimmter Artikel plus Steigerungspartikel plus Zahladjektiv plus Nomen
	Bestimmter Artikel plus Zahladjektiv plus Adjektiv plus Nomen
	Steigerungspartikel plus Adjektiv plus Adjektiv plus Nomen
	Unbestimmter Artikel plus Steigerungspartikel plus Adjektiv plus Nomen
	Unbestimmter Artikel plus Adjektiv plus Adjektiv plus Nomen
Fünfgliedrige NPs	Bestimmter Artikel plus Steigerungspartikel plus Zahladjektiv plus Adjektiv plus Nomen

Tabelle 19:   Übersicht über komplexe NP-Formen bei FAL

FAL	Komplexe NPs
Dreigliedrige NPs	Unbestimmter Artikel plus Adjektiv plus Nomen
	Bestimmer Artikel plus Adjektiv plus Nomen
	Indefinitpronomen plus Adjektiv plus Nomen
	Bestimmter Artikel plus Zahladjektiv plus Nomen
	Bestimmter Artikel plus Steigerungspartikel plus Nomen
	Bestimmter Artikel plus Kardinalia plus Nomen
	Zahladjektiv plus Possessivartikel plus Nomen
	Bestimmter Artikel plus Zahladjektiv plus Nomen
	Unbestimmter Artikel plus Zahladjektiv plus Nomen
	Indefinitpronomen plus bestimmter Artikel plus Nomen
	Steigerungspartikel plus Zahladjektiv plus Nomen
	Demonstrativpronomen plus Adjektiv plus Nomen
	Demonstrativpronomen plus Zahladjektiv plus Nomen
	Indefinitpronomen plus Possessivartikel plus Nomen
	Bestimmter Artikel plus Kardinalia plus substantivisches Adjektiv
	Kardinalia plus Adjektiv plus Nomen
	Unbestimmter Artikel plus Steigerungspartikel plus Nomen
Viergliedrige NPs	Indefinitpronomen plus bestimmter Artikel plus Adjektiv plus Nomen
	Bestimmter Artikel plus Zahladjektiv plus Adjektiv plus Nomen
	Unbestimmter Artikel plus Adjektiv plus Adjektiv plus Nomen
	Bestimmter Artikel plus Adjektiv plus Adjektiv plus Nomen

Nachwort

Diese Arbeit soll darauf aufmerksam machen, dass es zahlreiche Zusammenhänge und Lernprinzipien beim Erwerb der deutschen Sprache gibt, die es in ihrer Funktion genauer zu beleuchten lohnt. Es bleibt zu hoffen, dass weitere Studien andere Zusammenhänge und kognitive Mechanismen innerhalb des Erwerbs von Sprache aufzudecken in der Lage sind – mithilfe der netzwerktheoretischen Sicht auf die Dinge und möglichst auch mit der Unterstützung neuester Techniken aus der neurolinguistischen Forschung. Dabei sollte der Blick der Forschung auf Sprache als Gesamtheit zahlreicher einzelner Bereiche und Wechselwirkungen sowie als Bestandteil des kognitiven Systems gerichtet werden, da die vorliegende Arbeit die Vermutung nahelegt, dass die einzelnen sprachlichen (und vielleicht auch die nichtsprachlichen) Aufgabenbereiche, die am Spracherwerb beteiligt sind, auf zahllosen Wegen zusammenwirken und daher kaum isoliert betrachtet werden können.

An dieser Stelle möchte ich einigen Menschen für ihre Unterstützung danken: Hilke Elsen für konstruktive Diskussionen, Susanna Bartsch und Dagmar Bittner, durch deren Hilfe mir bewusst wurde, dass der Mechanismus des *Lexical Bootstrapping* von besonderer Bedeutung für den Erwerb der deutschen Nominalphrase ist, Elena Lieven und Ewa Dabrowska für ihre Einschätzung meiner Arbeit sowie Gisela Szagun, die mir die Nutzung der CHILDES-Daten ermöglichte und wertvolle Hinweise dazu gab.

PERSPEKTIVEN GERMANISTISCHER LINGUISTIK (PGL)

Herausgegeben von Heiko Girnth und Sascha Michel

ISSN 1863-1428

1   *Karin Schlipphak*
     Erwerbsprinzipien der deutschen Nominalphrase
     Erwerbsreihenfolge und Schemata – die Interaktion sprachlicher Aufgabenbereiche
     ISBN 978-3-89821-911-2

In Vorbereitung:

Sascha Michel
Randphänomene der Wortbildung im Deutschen
Diachrone und synchrone Untersuchungen
ISBN 978-3-89821-705-7

Laura Sacia
Translating ‚You' – An Examination of German and Portuguese Address Systems
and their Descriptions in Foreign Language Reference Materials
ISBN 978-3-89821-936-5

Heiko Girnth und Sascha Michel (Hrsg.)
Multimodale Kommunikation in Polit-Talkshows
ISBN 978-3-89821-923-5

Sascha Michel und József Tóth (Hrsg.)
Wortbildungssemantik zwischen Langue und Parole
ISBN 978-3-89821-922-8

Abonnement

Hiermit abonniere ich die Reihe **Perspektiven Germanistischer Linguistik** (PGL) (**ISSN 1863-1428**), herausgegeben von Heiko Girnth und Sascha Michel,

- ❏ ab Band # 1
- ❏ ab Band # ___
    - ❏ Außerdem bestelle ich folgende der bereits erschienenen Bände:
    #___, ___, ___, ___, ___, ___, ___, ___, ___, ___, ___, ___

- ❏ ab der nächsten Neuerscheinung
    - ❏ Außerdem bestelle ich folgende der bereits erschienenen Bände:
    #___, ___, ___, ___, ___, ___, ___, ___, ___, ___, ___, ___

- ❏ 1 Ausgabe pro Band   ODER   ❏ ___ Ausgaben pro Band

Bitte senden Sie meine Bücher zur versandkostenfreien Lieferung innerhalb Deutschlands an folgende Anschrift:

Vorname, Name: _____

Straße, Hausnr.: _____

PLZ, Ort: _____

Tel. (für Rückfragen): _____ *Datum, Unterschrift:* _____

Zahlungsart

- ❏ *ich möchte per Rechnung zahlen*
- ❏ *ich möchte per Lastschrift zahlen*

bei Zahlung per Lastschrift bitte ausfüllen:

Kontoinhaber: _____

Kreditinstitut: _____

Kontonummer: _____ Bankleitzahl: _____

Hiermit ermächtige ich jederzeit widerruflich den *ibidem*-Verlag, die fälligen Zahlungen für mein Abonnement der Reihe **Perspektiven Germanistischer Linguistik** (PGL) von meinem oben genannten Konto per Lastschrift abzubuchen.

Datum, Unterschrift: _____

Abonnementformular entweder **per Fax** senden an: **0511 / 262 2201** oder 0711 / 800 1889 oder als **Brief** an: *ibidem*-Verlag, Julius-Leber Weg 11, 30457 Hannover oder als **e-mail** an: **ibidem@ibidem-verlag.de**

ibidem-Verlag

Melchiorstr. 15

D-70439 Stuttgart

info@ibidem-verlag.de

www.ibidem-verlag.de
www.ibidem.eu
www.edition-noema.de
www.autorenbetreuung.de